P9-AOL-529

POEMAS DEL DESTIERRO Y DE LA ESPERA

Rafael Alberti, en su casa de Antícoli Corrado, 1971

Foto J. Corredor-Matheos

RAFAEL ALBERTI

POEMAS DEL DESTIERRO Y DE LA ESPERA

(ANTOLOGÍA)

SELECCIÓN Y PRÓLOGO DE J. CORREDOR-MATHEOS

SEGUNDA EDICIÓN

ESPASA-CALPE, S. A.
MADRID
1978

Ediciones especialmente autorizadas para

SELECCIONES AUSTRAL

Primera edición: 24 - IX - 1976
Segunda edición: 7 - II - 1978

Depósito legal: M. 2.749—1978
ISBN 84—239—2020—8

Impreso en España
Printed in Spain

Acabado de imprimir el día 7 de febrero de 1978

Talleres gráficos de la Editorial Espasa-Calpe, S. A.
Carretera de Irún, km. 12,200. Madrid-34

PRÓLOGO

EL POETA DEL DESTIERRO

El día 6 de marzo de 1939 salió Rafael Alberti de España: «de mi preciosa y desventurada España», como canta nostálgicamente en su libro de memorias *La arboleda perdida*[1]. Cerca de cuarenta años que para unos han podido ser de paz pero que para muchos, demasiados, de forzada guerra interior, por la supervivencia moral y física, dentro o fuera de España. Para Alberti y su compañera, María Teresa León, han aportado una nueva vida, que continúa la vivida en España como una sombra, con un doloroso desdoblamiento para la adaptación, no siempre fácil, a los lugares en que han vivido y la constante espera del regreso.

Esta antología recoge poemas escritos por Alberti a partir de su salida de España y que reflejan, de un modo u otro, el sentimiento del exilio. Su título inicial, de *Poemas del destierro*, fue cambiado, a sugerencia del propio poeta, por el más completo y fiel de *Poemas del destierro y de la espera*. Queda así mejor expresado el espíritu de esta poesía, en que la constante expectativa del regreso es la necesaria otra cara de la ausencia: «De todos modos, mi canto / puede ser de cualquier parte. / Pero estas

---

[1] *La arboleda perdida*. Libros I y II de memorias. Primera edición: Compañía General Fabril Editora, S. A., Buenos Aires, 1959. Segunda edición: Editorial Seix Barral. S. A. (colección Biblioteca Breve), Barcelona, 1975.

rotas raíces, / ¡ay, estas rotas raíces!, / a veces no me lo dejan / ser del mundo, ni siquiera / de aquella tierra, tan sólo / de aquella mínima parte / de la Tierra.» (PC, 1033).

La guerra civil supuso para España la pérdida de gran parte de sus mejores hombres. La muerte o la forzada partida de unos y el enmudecimiento en el interior de muchos otros han acarreado a nuestro país un grave mal del que todavía no se ha repuesto. Éste es el balance de una contabilidad de grandes y dolorosos números que no puede remediar ya amnistía alguna. Que tal o cual creador se haya crecido en este inmerecido castigo es algo que no puede llenar un haber que, como el *Hombre* de la obra teatral de Alberti, quedó *Deshabitado.* Rafael Alberti ha sido uno de esos raros casos en que la fortaleza de espíritu, la capacidad de trabajo y lo que llamaría buen sentido de orientación en cada momento le han permitido profundizar en sus temas y ensanchar los límites de su obra. Es preciso señalar la importancia que el destierro tiene para su poesía: le da mayor dimensión y añade un nuevo sentido. Por una parte aparecen nuevos temas, y los antiguos vuelven, sobre todo a partir de su llegada a Argentina, vistos de otro modo: su situación, la nostalgia, la rabia o simplemente la reflexión a una luz vital diferente confieren a la poesía escrita fuera de España especiales características. «Los motivos del destierro –como escribe Solita Salinas de Marichal en su magnífico ensayo *Los paraísos perdidos de Rafael Alberti*– son en Alberti tan variados, tan repetitivos, que se puede decir que es esencialmente el poeta del destierro»[2].

El desterrado –como los ángeles según san Rainer María Rilke– no sabe si anda entre los vivos o los muertos: y es que ambas cosas son verdad. El primer libro escrito

[2] Solita Salinas de Marichal: *Los paraísos perdidos de Rafael Alberti.* «Insula», núm. 198, Madrid, mayo de 1963.

Por su parte, Vicente Llorens ha afirmado: «De todos los poetas españoles expatriados a consecuencia de la guerra civil de 1936, Rafael Alberti es, sin disputa, el poeta del destierro por excelencia. El mundo del desterrado como motivo poético no está ausente del todo en ninguno de ellos, pero en Alberti se presenta tan reiterada e intensamente y con tal variedad que llega a constituir, por así decirlo, la razón de ser de su poesía.» (*Rafael Alberti, poeta social. Historia y mito,* «Sin nombre», núm. 23, junio de 1974.)

Rafael Alberti y María Teresa León, en la plaza de Antícoli Corrado, 1971

Foto J. Corredor-Matheos

al salir de España, *Vida bilingüe de un refugiado español en Francia* (1939-1940), se abre con estos versos: «Me despierto. / París. / ¿Es que vivo, / es que he muerto? / ¿Es que definitivamente he muerto?» (PC, 427). Se ha cerrado un capítulo de la historia de España, en la cual el poeta estaba íntima y activamente implicado. Provisionalmente, el poeta ha muerto también. Una muerte de forzado ritual, de la cual habrá de sacarle un nuevo nacimiento: «Es que llegamos al final del fin / o que algo nuevo comienza» (PC, 428). España «ya tiene fronteras» cerradas para el poeta: «cordilleras de sangre, / valles de pobres huesos, / frías empalizadas de húmeros y de tibias, / de dentaduras ordenadas, / solar sólo de sepulturas.» (PC, 434-435).

La salida de Francia es continuación de la de España: Ve cómo «Amanece el Peñón de Gibraltar / y la cola del toro se estremece», y el poeta le habla, preguntándose: «Habla, toro: ¿estás vivo...?» (PC, 438).

En América se apresta a vivir una nueva vida –no bilingüe ya–: «Miremos a otro lado que no resuene a sangre.» Puede más el ansia de vivir, la vitalidad de un poeta que había muerto en el Madrid bombardeado y que en esos momentos resucita: «Bajo la Cruz del Sur / cambiará nuestra suerte. / América. / Por caminos de plata hacia ti voy / a darte lo que hoy / un poeta español puede ofrecerte» (PC, 441).

ENTRE EL CLAVEL Y LA ESPADA

El poeta se refugia en el ámbito de la poesía. Le cuesta arraigar, pero alcanza momentos de intimidad con el nuevo paisaje. Necesita la palabra, que vuele por sí misma, sin servidumbre: «vuelva a mí –invoca– toda virgen la palabra precisa, / virgen el verbo exacto con el justo adjetivo». Y pide que cuando, usando el verbo, «califique de verde al monte, al prado, / repitiéndole al cielo su azul como a la mar, / mi corazón se sienta recién inaugurado / y mi lengua el inédito asombro de crear» (PC, 445). La palabra y la poesía pura le reclaman, pero...: «Si yo no viniera de donde vengo; si aquel reaparecido, pálido, yerto horror» «no fuera cierto, si el nombre del poeta» no fuera un compromiso, una palabra dada, un expuesto cuello constante, tu, libro que ahora vas a abrirte, lo harías solamente bajo un signo de flor, lejos de la fija espada que lo alerta»; pero así es en realidad, y por esto el libro lleva el nombre de *Entre el clavel y la espada*. Sí, «entre los dos vivimos», y de manera dramática está viviendo entonces: «de un lado, un seco olor a sangre pisoteada; de otro, un aroma a jardines, a amanecer diario, a vida fresca, fuerte, inexpugnable» (PC 445).

Palabra clave: inexpugnable. El corazón del poeta lo es. Pero el clavel será ya siempre inseparable de la espada. Éste es sin duda el nuevo tono a que alude Solita Salinas, el que cobra la voz del poeta en el destierro: «Cantará, sobre todo, su vida rota, lejos de la patria». Pero, como dirá la estudiosa de Alberti a continuación, «*Entre el clavel y la espada* vuelve a traer el recuerdo del jardín perdido, entrevisto ahora en la naturaleza americana recién descubierta»[3]. La tesis de Solita Salinas en este trabajo es esa búsqueda y encuentro renovado del mítico paraíso. Paraíso cuyo recuerdo y proyección futura no puede ya darse sin la sombra de la espada –también el mítico paraíso del Génesis está relacionado con ella.

Con la ambigüedad y dialéctica de los símbolos, el clavel será América; España podrá ser vista como paraíso de la infancia y como proyección futura, y la espada será la España presente y el recuerdo inmediato de ella. Uno es un paraíso ya perdido, aunque recuperable en el futuro. América le ofrece la posibilidad de seguir adelante. Los primeros versos americanos tienen, muy visible, esta mezcla de sentimientos contrarios. El desterrado lo es siempre de un paraíso, y quien le ha expulsado es un ángel negro. El poeta seguirá oliendo «a sangre con espliego» durante muchos años.

Hay momentos en que cree no encontrar el camino –el camino no existe, se hace, provocando angustia–. Va y viene indeciso, no acierta a orientar su vida y su vuelo. Probablemente ésta era la paloma que se equivocaba: «Se equivocó la paloma. / Se equivocaba. / Por

[3] Solita Salinas de Marichal: *artículo citado*.

ir al norte, fue al sur» (PC, 465). Acierta siempre cuando vuelve los ojos hacia el mundo que ha perdido pero que sigue siendo real: la España en ruinas, alineada además entonces con el Eje. Cuando todo se ha consumado —aunque no, no para siempre—, al poeta le parece que su destino estaba de algún modo determinado: «A aquel país se lo venían diciendo / desde hace tanto tiempo. / Mírate y lo verás. / Tienes forma de toro, / de piel de toro abierto, / tendido sobre el mar.» País con forma de «verde toro muerto» donde «ahora se puede navegar en sangre»; él, que era «jardín de naranjas», está regado «con pólvora» (PC, 471).

Ocurre a veces que el poeta se siente seco: «Habría que llorar», pero no siempre es ya posible. Vive, desdoblándose, otra vida, que le exije. Pero, aún así, «Habría que contarlo» (PC, 473), y no se resiste a hacerlo: «Si ganamos —soñaba el soldado que fue Alberti—, / la llevaré a que mire los naranjos, / a que toque la mar, que nunca ha visto, / y se le llene el corazón de barcos. / Pero vino la paz. Y era un olivo / de interminable sangre por el campo» (PC, 476).

América es, en cierto modo, la única realidad. Pero con los ojos en el suelo que pisa escribe: «Abrí la puerta. / En donde no había camino, / vi una vereda. / Anduve. / (...) Cuando volvía, / como una sombra, vi un toro, / llorando» (PC, 482). Su estancia en América será este ir y venir con el pensamiento, entre el clavel y la espada. Para España, por encima de la derrota y de tanto dolor, guarda el poeta un sentimiento de espera, como ha querido que quede reflejado en el título de esta antología («te elevarás de nuevo toro verde...» —PC, 483—). Se siente con fuerzas para remontarlo todo, pero pide ayuda para que el peso de sus muertos no se lo impida: «No me dejéis, ya en el viento, / mirar abajo.» (PC, 490).

En *Pleamar* hay una vuelta a su ser poético. Con el juego hondo, grave, del canto a lo que se ha perdido, regresa al poeta la necesidad del juego: «¡Oh poesía del juego, del capricho, del aire, / de lo más leve y casi imperceptible: / no te olvides que siempre espero tu visita!» (PC, 554). El poema, en Alberti, es muchas veces un diálogo con la poesía, y en este amoroso juego el poeta se siente seguro de sí mismo: «poeta dueño, a caballo, dominante». (Este «a caballo» forma parte ya del paisaje americano.) La parte de este libro titulada «Cármenes» respira serenidad. ¿Ha recuperado, aunque sea a ráfagas, el ámbito del paraíso a que alude Solita Salinas y del cual parece hablarnos el propio título? El hecho es que, en estos «cármenes», cuando aparece la sombra del drama —por el recuerdo sublimado de los efectos de la guerra— ocurre sin descender de ese plano ideal, reino de arquetipos: «Creyeron que con armas, / unos tristes disparos una aurora, / iban —¡oh Poesía, oh Gracia!— a asesinarte». (PC, 554). Son, éstos, momentos legítimos de repliegue íntimo, pero la experiencia ha transformado todos los recuerdos anteriores. Después de la guerra ya nada es igual. En cuanto se descuida asoma la oreja de la muerte, vestida con capote militar. Los temas anteriores a la guerra, si vuelven, lo hacen tocados por ella: no pueden saltar por encima de tantos, tantos muertos, y del dolor dejado por la lucha. Y si «Hubo un tiempo que dijo, que decía: / Más blanca que la nieve, prima mía. / Rosa de Alberti, rosa chica, breve, / níveamente pintada. / Hoy diría: Más roja que la nieve, / ya que la sangre es púrpura nevada.» (PC, 561). Y los ángeles «No son ángeles ya, no son aquellos / de los siete relámpagos asidos / entre las siete albas plumadas velas. / Son velados de historia, pedregosos / de corazón, sin lagrimal ni fuente / que le susurre el ala del recuerdo. / No son ángeles ya, son pobres hombres» (PC, 562). Se pregunta el poeta: «¿Qué tienes, dime, Musa de mis cuarenta años? / —Nostalgias de la guerra, de la mar y el colegio» (PC, 576), versos que nos dan la clave de todos estos años en que, todavía herido, convaleciente, el poeta baraja sus recuerdos.

Existe este doble impulso: el libre y gozoso vuelo de la poesía y este triste «cantar mordiéndose los dientes». Y la evidencia de que el poeta, vitalmente, se abre a un nuevo ámbito, cobrando su poesía nuevo vigor: «Recién parida, fuerte, dando saltos, / plantando / el sol sobre una tierra insigne», como leemos en el poema *Tirteo*. Hay en *Pleamar* un repliegue a las inclinaciones más íntimas. La experiencia del drama de España le permite comprender de otro modo su ser poético. Recupera el aire marinero de Cádiz y el vuelo de la gracia inicial que ahora sale cargado de nuevas posibilidades. Reasume su poética de tiempos de paz, con nuevo acento: «...yo fui poeta de combate... / pero de esos del mar y el verso como puño» (PC, 584). No puede ni quiere olvidar que el mundo está en guerra, y España, ya sabemos cómo... Del fin de tantas ilusiones, de la guerra propia, «¿Ha pasado un siglo?» se pregunta. Porque, en efecto, a veces todo esto parece muy lejano: «Y no han pasado / —¡oh llanto!— ni siquiera 2.000 días» (PC, 584).

El desterrado vive dos vidas. Dos muertes le acompañan: la del que fue y la que va creciendo a su lado. El paisaje de la infancia se nubla, con tantas lluvias como le separan de aquello que se presenta míticamente fuera de todo tiempo. El resultado es un doloroso desdoblamiento.

El fin de la guerra mundial, con un resultado contrario al que esperaban quienes rigen en esos momentos su patria, aumenta sus esperanzas. Necesita esas corroboraciones objetivas para fundamentar un optimismo esencial, o, si lo preferimos, una irreductible vitalidad: «Cuanto más la golpea la noche con su espada / mortal —escribirá más adelante en *Abierto a todas horas*—, tú vas subiendo, / tú te vas incendiando / —¡ay, a tus años, a tus muchos años!— / como un joven demonio entre las sombras.» (ATH, 27). La actitud de Alberti —que cae en el pesimismo, a veces, por miedo a... su propio optimismo— es activa, de enfrentarse al destierro como un hecho. Se desdobla, por esa necesidad vital de sacar provecho a las posibilidades del vivir. Caracteriza a Alberti en el destierro esta actitud bifronte, en la cual ha debido influir, sin duda, su compromiso político, que le habrá sostenido, ofrecido una esperanza cuando, personalmente, no parecía tener razones «objetivas» para ello. Por lo menos, cuenta con que razones las habrá. Con la seguridad en el regreso, en la proyección hacia el futuro del mítico paraíso de la infancia, está la que tiene en la completa restitución de su ser más íntimo: «Hoy digo: No estoy alegre. / Algún día voy a estarlo. / (Sin mentirme, voy a estarlo)». Y en la canción siguiente del libro *Baladas y canciones del Paraná* insistirá: «... ¡qué alegre, / qué alegre y feliz ha sido / —y volverá a ser— mi canto!» (PC, 1028).

POESÍA ENTRE LA ACCIÓN Y LA CONTEMPLACIÓN

¿Es lícito seguir los pasos del poeta, de su vida de hombre, a través de su poesía? Es decir, ¿ayudarnos, para entenderla más, de lo que el poeta ha hecho como hombre? Unas veces, el creador reflejará su vida directamente, el hacer cotidiano, la crónica de su viaje o, como en los poemas de guerra de Alberti, la peripecia: será espejo objetivo de lo que pasa. Otras, el creador nos da señales suyas en negativo: a través de lo que dice tenemos que leer... lo contrario. No es que pretenda engañarnos —aunque puede, humanamente, ocurrir—, sino que se trata de un juego dialéctico, que hay que saber comprender en su conjunto.

Cuando publica *Signos del día* (poemas escritos en 1945-1955), su nuevo libro cívico, ha concluido la guerra en su interior. Alberti la da por terminada poco después de llegar a la Argentina, cuando recupera su verbo y su infancia. Canta, con voz que es la misma y distinta: el mar, el aire, el espacio: transparencias, acentos, luces. Aparte las sombras que durante las noches, que a veces pueden ser largas, se levantan e imprecan, lo importante es señalar que España, como problema político, vuelve, sobre todo, como algo que está de nuevo abierto. No es, Rafael Alberti, poeta fundamentalmente elegíaco. Cuando se anuncia la formación de la Junta Suprema de Unión Nacional Española, él ya la tenía formada para sí, y le es fácil cantarla: «Lo que era llanto, ya no es llanto, canta. / Lo que es sombra, no es sombra, es alegría.» Lo que espera de ella es lo que espera de España, lo que ha estado esperando —él y muchos—: «levantarás la vida de la muerte» (PC, 719).

Signos del día es un libro de temas reales muy concretos, en que está de nuevo el poeta que sabe que «Un verso es un disparo y una copla ya el trueno...» (PC, 730). El siguiente específicamente político es el formado por las *Coplas de Juan Panadero*. De este libro violento y magnífico nos hemos decidido sólo a incluir, por el momento, unas pocas muestras; creemos que suficientes para darnos la *Poética* y la *Visión* (tales son los títulos seleccionados) de este españolísimo Juan Panadero. Se trata de sentencias, de corte popular, incisivas que, «como la saeta, / (...) antes de haberlo pensado / ya está clavada en la meta» (PC, 873). Descarga en estas coplas toda la rabia y la indignación largamente maduradas. Porque el poeta canta, «si (quiere) cantar», pero «a aquél lo están matando, / a éste lo están consumiendo / y a otro lo están enterrando.» Y «Por eso es hoy mi cantar / —escribe— canto de pocas palabras... / y algunas están de más» / (PC, 872-873), termina, encareciendo la concisión, el carácter directo de arma política, que puede ser en determinados momentos su poesía.

Este poeta cívico discurre, guadianamente, por su poesía posterior, aflorando a veces en medio de poemas serenos. Pero no se trata sólo del «poeta bucólico de la revolución», como lo ha llamado Vicente Llorens, sino que sigue disparando saetas en forma de verso: «Enemigo subterráneo, / oscuro y torvo enemigo, / te mataré con mi canto. / Día a día, con mi canto» (PC, 1 033). El poeta es libre de cantar y reír o llorar o, también, de matar con su canto. Tiene esta seguridad: «Gritaré cuando haga falta. / Reiré cuando haga falta» (PC, 1 031).

Si la línea intimista o contemplativa le adentra en el paisaje de la infancia o en el lugar concreto donde está, *localizándolo*, su línea cívica lo internacionaliza. Es capaz de cantar paisajes y gentes muy distintas, desde Polonia a China, Hungría, Checoslovaquia, Rumania... Son también una patria para el militante internacionalista, que, sin embargo, sigue buscando angustiadamente su Cádiz y su España, como vemos en *Primavera de los pueblos*. Y el drama de su país lo ve repetido en los países que visita. La nieve que pisa en Polonia «fue de sangre. / Fue de sangre. / Toda la nieve polaca / fue de sangre» (PC, 1052). China le entusiasma: esos horizontes que se pierden. No, no se sabe dónde China acaba. «Y todo, aunque no haya nadie, / se puebla y canta» (PC, 1098). El poeta puede referirse, como un cronista de guerra, a hechos concretos, y darnos una estampa como la de *Vietnam*, o ser vehículo del amor universal, contribuyendo a configurar los nuevos y necesarios mitos, en que se funden el amor a España, el afán de justicia y una visión planetaria: «Creemos el hombre nuevo, / cantando. / El hombre nuevo de España, / cantando. / El hombre nuevo del mundo, / cantando» (PC, 1006).

El libro *Baladas y canciones del Paraná* está centrado, todo él, en el presente: como ha hecho notar Ricardo Gullón, «en la naturaleza y la realidad argentina donde Alberti trataba de afirmarse»[4]. Se respira aquí la inmensidad de América, el nuevo ámbito del poeta. La amplitud del mar de su infancia es ahora, sobre todo, la llanura argentina; el mar no es ya lugar donde estar y complacerse, sino sólo zona de tránsito para el regreso. Ante la naturaleza americana experimenta Alberti una reverencia casi religiosa. Es el poeta en la calle, y aunque no deje de estar en ella es preciso a veces retirarse al desierto. Entonces, «En cuanto el hombre se aleja / de los hombres, viene el viento / que ya le dice otras cosas, / abriéndole los oídos a otras cosas» (PC, 965). Es momento, éste, de contemplación. Y «Basta un balcón sobre el río / y unos caballos paciendo / para viajar noche y día / sin moverse». Y el hombre del balcón, el poeta, termina volviendo «de un largo viaje, / sin moverse» (PC, 971).

Pero tampoco ahora puede olvidarse durante mucho tiempo de su condición: «Hoy las nubes me trajeron, / volando, el mapa de España.» (PC, 973.) Parte de él se queda en estos parajes; otra se va: le llaman y se va: «Hoy el Paraná respira / con aliento de azahares. / Con el azahar me voy. / No me detengais.» (PC, 977-978). La naturaleza, en sí misma, está bien, pero él, como hombre, y la sociedad de los hombres, no: «Todo es claro. / Pero si en mí está lo oscuro, / —se pregunta— ¿cómo he de cantar diáfano?» (PC, 979). Y, de pronto, esas palabras, no tan sorprendentes como pudieran parecer, aprendidas en la infancia: la invocación a un Dios («no creo / que me escuches») que es imagen última de sí mismo y al que se le pide «Algo, ser algo, ser algo, / menos lo que soy ahora: / un poeta, las raíces / rotas, al viento, partidas, / una voz seca, sin riego, / un hombre alejado, solo» (PC, 981-982).

El poeta parece fundirse con el paisaje: «Abrió la flor

---

[4] Ricardo Gullón: *Alegrías y sombras de Rafael Alberti* (segundo momento). «Asomante», XXI, núms. 1 y 2, 1965.

del cardón / y el campo se iluminó. / Los caballos se encendieron. / Todo se encendió. / Las vacas de luz pacían / pastizales de fulgor. / Del río brotaron barcas / de sol. / De mi corazón, ardiendo, / otro corazón» (PC, 995-996). Este desapego de las cosas lo iremos encontrando en otros libros[5]. En *Abierto a todas horas*, escrito después de su viaje a China, se encuentra con frecuencia un aire o un perfume oriental: «Espero el desprenderse de mí el verso / como el árbol de otoño / espera el desprenderse de la hoja» (ATH, 24). El silencio absoluto, la paz del espíritu, en raros momentos, identifica el ser al no ser: «Nada se escucha y nada / se ve. Parecería / que todo se ha marchado / o que nada ha existido» (ATH, 23). Qué vaivén constante, qué viento —el viento que desearía ser Rafael Alberti— mueve sin cesar su poesía. También en un libro tan melancólico como éste, de pronto, se enciende el poeta y todo lo que toca su mirada: «Voy por los arenales luminosos. Mi sombra / me parece más joven. Yo diría...» (ATH, 45). La contradicción entre un mundo que a veces se manifiesta en un orden justo —cuando se trata de la naturaleza— y el poeta en guerra consigo mismo se da en otras ocasiones a la inversa: «¿Quién puede hoy ya, tranquilo —se pregunta como recordando a Brecht—, contemplar los jardines, enamorar la flor?» No son los árboles ni esta flor los culpables. «La tierra está de sombra»; pero son otros hombres los que crearon la sombra, y el poeta se siente con derecho a redimir esta tierra y darle la luz que brota de lo más hondo: «La tierra está de sombra... / aunque la luz soy yo» (ATH, 53).

No puede el poeta renunciar ni a su responsabilidad ante la sociedad ni a su destino luminoso. A lo largo de su obra vamos encontrando este dialéctico desgarro, sin solución posible. No es sólo la guerra de España y su

[5] «Luego, en libros más tardíos, —escribe Andrew P. Debick— Alberti adquiere una perspectiva más despegada, se interesa de nuevo por la naturaleza y el arte, y nos hace sentir de nuevo la belleza de un mundo nostálgicamente anhelado. Como él mismo promete en el primer poema de *Entre el clavel y la espada*, Alberti se vale de nuevo del arte de la poesía para crear y comunicarnos una visión a la vez precisa y emotiva de sus temas» *(El «correlativo objetivo» en la poesía de Rafael Alberti*, «La palabra y el Hombre», núm. 47, enero de 1967.

resultado: habría y hay otras guerras, otras injusticias. Nada más natural que le remuerda la soledad, también en su retiro de Antícoli Corrado, cuando escriba *Canciones del Alto Valle del Aniene*. Le «remuerde la soledad. / Pero escucho mejor, / –dice– me oigo temblando en ella / y me preparo, me ejercito en ella / para todas las cosas que me llaman / ya fuera de su ámbito.» (CAVA, 25). Esta preocupación no tiene término. Las noticias que le llegan del mundo a través de la radio, que escucha mientras trabaja, o la lectura del periódico, qué infinita angustia le provocan, «¡Qué dolor de mirar tranquilamente el campo (...) ¡Oh, cuánta angustia, qué remordimiento / vivir solo un minuto / sin hacer nada por parar la muerte...» (CAVA, 32). Una lucha –el combate de Jacob-Alberti con el ángel– que le deja a veces extenuado: «Me ha tocado luchar con dos espadas, / en cada mano una, / pero contra mí mismo (...) Y ya al amanecer soy sangre viva...» (CAVA, 178).

TEMAS Y SÍMBOLOS

La poesía de Alberti evoca siempre un paisaje. En el destierro, los paisajes de España aparecen mezclados con los lugares en que sucesivamente va viviendo. Sobre todo, lugares relacionados con el mar o el río, el campo; la ciudad la encontramos raramente. El poeta habita en el silencio de la naturaleza: la gran llanura argentina, el río Paraná. Lo urbano vendrá más tarde, cuando Rafael y María Teresa se trasladen a Roma. Pero no será la ciudad moderna, salvo las referencias a los peligros que supone para el caminante, sino la Roma antigua o la renacentista. Éstas son las Romas que merecen ser cantadas, aunque el presente siga siendo el tiempo de Alberti: el momento íntimo vivido, con recogimiento, y el colectivo, en cuya lucha ha empeñado muchos de sus mejores esfuerzos.

Estos lugares van apareciendo sucesivamente en su poesía. Llega en ocasiones, por apetencia de vivir cada instante, a identificarse con ellos. El poeta reclama la paz, se cree con derecho a ella. Pero sabe que sólo es posible como un relámpago: vuelve el recuerdo de la guerra y de sus muertos, y le remuerde la soledad. De un modo u otro, como él mismo ha manifestado, «Nuestra obra sólo habla de España. (...) en todos mis libros está presente España siempre, totalmente siempre, y aunque parece que no se esté hablando de ella, lo está siempre»[6]. Pero es una manera particular de estar presente. Si lo está de tal modo es por la ausencia. Como manifiesta en la misma entrevista, «indudablemente, la mayor parte de nuestra obra, de los libros que hemos publicado, lo fueron en el destierro». Y como antes ha dicho: «llevamos más tiempo fuera de España que dentro de ella».

Retorna la infancia, que se contempla como la vida verdaderamente propia. Se van configurando ciertos símbolos, que hacen referencia a esos lugares donde el poeta ha vivido horas plenas: el Puerto de Santa María, la bahía de Cádiz, la playa y las dunas. España la vemos simbolizada con frecuencia en el toro. No sólo el de la dehesa, libre, sino también revestido de caracteres míticos: el toro de Gerión, el minotauro igual a Hércules en significación humana. Este toro surge como evocación de España: pero como símbolo que es también de vida y de fuerza cósmica, se transforma, cuando forma parte del paisaje americano, en el caballo. Casual o no, el significado funerario del caballo en las culturas arcaicas aparece aquí de un modo u otro. A caballo viaja al infierno del pasado: «Yo, a caballo, por su sombra, / busqué mi pueblo y mi casa» (PC, 973).

Otro símbolo polivalente, capaz de suscitar misteriosa poesía es el mar, y en general el agua. Es importante esta presencia en la poesía de Alberti, y lo es asimismo en su relación de antagonismo con la tierra, como nos lo ha hecho ver Robert Marrast[7]. En España, aunque se trate del Atlántico, se contempla como continuación del Mediterráneo: el mar conocido de Cádiz, a la humana medida.

---

[6] *Hablando en Roma con Alberti.* Entrevista realizada por Antonio García Rayo, «Triunfo», núm. 553, Madrid, 5 de mayo de 1973.

[7] Robert Marrast: *Introducción biográfica y crítica* a su edición *de Marinero en tierra, La amante* y *El alba del alhelí,* Clásicos Castalia, Editorial Castalia, Madrid, 1972.

Corrida

Alza el ruedo un zumbido
de asombro y maravilla,
girando en la cuadrilla
un cometa encendido.

Ciego se arranca el toro,
prendiendo en su candela
al caballo que vuela
en espiral de oro.

El torero acompasa
con el capote al viento
el raudo movimiento
del toro fiel que pasa.

Clavan las banderillas
al sol de los mantones
naranjos y limones,
pólvora y campanillas.

El pase de muleta
es el arco glorioso
que al fin rinde el acoso
que la muerte sujeta

Y cuando atravesada
siente el toro su vida,
piensa que la corrida
vale bien una espada.

Rafael Alberti

Roma, 1970.

Litografía de la «Corrida» de Rafael Alberti

Grafica Internazionale, Roma, 1970

En América, el Atlántico lo encontramos generalmente como algo que le separa de la patria y que algún día tendrá que volver a cruzar. El mar sigue siendo camino. Por él ha llegado y por él deberá volver. Porque el regreso está planteado desde el principio: «¡Si me dijeras, mar, la suerte que me aguarda / a mi regreso a Europa!» (PC, 531). Agua que siente próxima y con la cual se puede entablar diálogo es la del río. Junto al Paraná ha escrito algunos de sus mejores versos.

El mar estará presente en su poesía, pero con un sentido distinto al de sus primeros libros. Este océano, distinto al de la bahía de Cádiz, no lo conoce bien. No le es posible abarcarlo como a aquél, mar de historia conocida y mitología incorporada a la sangre; con este mar inmenso, ignoto, no se puede jugar. A este mar se le debe imprecar o implorar como a un dios temible por desconocido. Aquél cabía en el verso y quedaba recortado. Se podía ser un marinerito, hablar con él por teléfono («Zumbó el lamento del mar, / cuando me habló por teléfono», dice en *Marinero en tierra)* y hasta puede el poeta cantarle una nana. La identificación entre el mar y el poeta llega a ser expresada: «¡Qué feliz era, mar! Llegué a creerme / hasta que yo era tú y que me llamaban / ya todos con tu nombre» (PC, 537). En América, en cambio, esta identificación no se produce.

De regreso a Europa, el agua solo puede sentirla a través de las fuentes: «El agua de las fuentes innumerables. Duermo / oyendo su infinito / resonar. Agua es / aquí en Roma mi sueño». No es el agua juguetona y mítica de la infancia, ni la libre y cósmica de América, sino un agua «civilizada». «Agua de Roma para mis insomnios», «agua eterna de Roma» (RPC, 77-78).

Tema constante es el de los muertos: no la muerte, a la que Alberti parece ignorar: quizá por sentirse acompañado de ella. Son los muertos, los suyos, los que duelen. A los que quedaron enterrados o, en el recuerdo, insepultos en los frentes de España van sumándose los que mueren en el exilio. Con motivo de la muerte de Pedro Salinas escribe: «¡Qué dolor que te hayas ido, / sin haberte visto más, / como yo hubiera querido! / Amigo. / Antonio se fue. Y se fueron / también Miguel y Federico. / Con ellos tú también ahora. / Amigo.» (PC, 998).

Podemos ir encontrando otros temas, que tienen el valor de algo presente y el de evocación de su doble desaparecido. Sería muy interesante, por otra parte, realizar un estudio sobre los valores simbólicos del color en el período del destierro, como tan acertadamente lo ha hecho Solita Salinas referido a los primeros libros[8]; el propio poeta los hace explícitos en parte en *A la pintura*. Elementos simbólicos menores son los álamos, que nos traen recuerdos de Antonio Machado: «Veo en los álamos, veo, / temblando, sombras de duelo.» «¡Ay, álamos de la muerte!», canta a continuación (PC, 485-486). Y los perros, con el recuerdo de *Niebla*, el perro de la guerra, al que inmortalizó en *Capital de la gloria*.

Esta antología tiene que reflejar cierta repetición de temas. Si Alberti es «esencialmente el poeta del destierro», si ésta es su característica fundamental y constante, es lógico que los temas vayan reapareciendo una y otra vez, vistos desde distintos ángulos, con distintos ánimos, enriquecidos siempre. «¿A quién echarle la culpa / yo / —se pregunta, sabiendo de antemano la respuesta— de tener que repetirme / yo, / de volver a oír lo mismo, / yo, / a cantar lo mismo yo / la culpa de ver lo mismo?» (PC, 988-989).

DE LA PINTURA Y A LA PINTURA

No puede faltar aquí una referencia a su relación con la pintura. Aunque, con frecuencia, los poemas que ha suscitado este tema no estén directamente relacionados con el destierro es importante registrarlos, porque completan la personalidad de Alberti, el poeta, reconocido por todos, que vuelve cada día la vista y las manos al pincel, la pluma o el buril.

A la pintura. libro apolíneo, es una reflexión sobre la cultura visual europea vista por el pintor que Rafael Alberti lleva dentro. Canta machadianamente lo que

[8] Solita Salinas de Marichal: *El mundo poético de Rafael Alberti*. Biblioteca Románica Hispánica. Editorial Gredos, Madrid, 1975.

perdió. Lo hace gozosamente, sin resentimiento: él es el poeta, creador de la palabra, el llamado a cantar, precisamente, eso que no le pertenece del todo. Está pagando su deuda... a sí mismo. Pero este libro le permite al mismo tiempo volar. A «Mil novecientos diecisiete. / Mi adolescencia: la locura / por una caja de pintura, / un lienzo en blanco, un caballete.» (PC, 611). Y, más allá, al reino definitivamente en paz de la historia, donde giran serenamente Giotto, Piero della Francesca, Botticelli, Leonardo... y también El Bosco, Rembrandt, El Greco, Zurbarán, Velázquez, «Mediodía sereno –éste–, descansado / de la Pintura. Pleno / presente Mediodía, sin pasado.» (PC, 669).

Contiene *A la pintura* poesía de gran madurez, que no se toma a sí misma como tema. Claro que hay a veces un eco de las preocupaciones técnicas o propias en general del poeta. El soneto *A la divina proporción* puede leerse como meta a la que tiende la palabra, armoniosamente ordenada. Andaluz, de Cádiz, puede enamorarse de Castilla como seguramente sólo un extraño a ella puede hacerlo. Castilla –«Castilla tiene castillos, / pero no tiene una mar», como cantó en *La amante*– ha sido para muchos, sobre todo, un *espectáculo*, estética pura de primerísima categoría: otro mar. Pero el mundo de Alberti es «divinamente» proporcionado, áureo, «esfera transparente», y pocos versos, aplicados a su poesía, son tan definitorios como éste de «Luces por alas un compás ardiente» (PC, 700).

Dentro del mundo de la pintura hay un tema que tiene varias vertientes para él: Pablo Picasso *es* la pintura, como lo fue Velázquez; pero también es una personificación de la España desencajada, aunque acaso por ello nos la haga ver mejor. Picasso es el autor del *Guernica*, símbolo de la guerra y la violencia, de la injusticia; es también un pedazo de España: «Tú saliste de allí, pero tu cuna / allí se mece todavía...» (8NP, 54), así como el autor de un símbolo de la paz caro a Alberti: «De todas las palomas hubo una que se fue por el mundo.» (8NP, 65).

Su interés por la pintura es constante. En los últimos años, que dedica mucha atención a ella y realiza obra gráfica, aparecen de pronto potenciadas en su poesía las posibilidades plásticas del paisaje, y Roma, por ejemplo, es descrita con los ojos de un pintor, con realistas y precisas descripciones. Y, quizá por esta mayor proximidad al arte, se lamenta: «Dejaste de pintar. ¡Oh, cuánta angustia / mirar ahora los pasados años / sin un color...» (CAVA, 44).

POETA DE LA ESPERA

En Roma recuerda con nostalgia la tierra americana: «Dejé por ti mis bosques, mi perdida / arboleda (...) Dejé por ti todo lo que era mío.» (RPC, 13). Roma es carne de historia, y también Europa, proximidad a España. Vive primero en la Vía Monserrato, y luego en Vía Garibaldi, en el Trastevere. Le gusta este barrio y sus gentes. Ello puede haber influido en el desgarro de algunos poemas. Desgarro expresivo, y, de pronto, gravedad y profundidad quevedescas, en los sonetos de *Roma, peligro para caminantes*, que alude al peligro constante de ser atropellado. Este libro es el desahogo de una protesta por su vida en esta ciudad, que le gusta y a un tiempo le resulta difícil. No por las gentes, populares o del mundo intelectual, entre quienes es un romano más, que *además* es un gran poeta español. Añora acaso la paz que alcanzó en América y que sólo encontrará en Antícoli y en fugaces escapadas al jardín de la Farnesina, próximo a su casa, adonde en algunas ocasiones se retira a escribir. En Roma, hasta vive bien, pero... se le anticipa la nostalgia y, como siempre tiene la conciencia de que el poeta no es de *ningún* sitio: «Cuando me vaya de Roma, / ¿quién se acordará de mí?» (RPC, 86).

Su estancia en esta ciudad, cuando el futuro de España parece clarificarse, ha determinado una nueva etapa en la vida y la poesía de Alberti. El contacto con amigos y admiradores españoles es constante, y las noticias le llegan directamente. Rafael y María Teresa son una continuación de España. Falta todavía, es cierto, lo principal: el regreso. Mientras, esta proximidad ha producido una intensificación, si cabe, del compromiso que Alberti tiene con el destino de su patria. Está pendiente de ella en todo momento, con el transistor colgado del oído, si es preciso, como el prologuista ha tenido ocasión de compartir, con motivo de reciente efemérides.

Este poeta español, con sostenida madurez, ha realizado en el destierro una progidiosa obra que quedará como una de las cimas de nuestra literatura. Experimentador del lenguaje, no aísla nunca esta actividad del despliegue del sentimiento y el juego de la intuición. Su poesía, calidoscópica y rica, nos ofrece esa doble imagen del poeta: el llamado a la acción colectiva y el lírico que se sumerge en su interior —que sabe no es solamente suyo— y hace explícitos los materiales oscuros y luminosos que ha arrancado.

La poesía escrita durante estos casi cuarenta años, hasta su reciente regreso a España, ha surgido, como hemos visto, bajo la sombra dolorosa de su patria. Es siempre la poesía de un desterrado, pero al mismo tiempo la de un hombre que ha descubierto entretanto que, junto a esta llamada, otras le reclaman también como algo suyo. De ahora en adelante no serán, los que escriba, poemas de destierro, aunque sigan siendo probablemente de espera: en una verdadera y afianzada paz: de todos, y también interior, íntima.

Nuevos ámbitos. nuevas visiones rondan la poesía de Rafael Alberti. «Veo —se decía, en el silencio de la noche del Alto Valle del Aniene—. Veo. Siempre vi. Pero no tan bien como ahora.» Se siente seguro, consciente de su obra hecha, aunque lo real sea lo que tiene delante: «Oigo las horas, los minutos. ¿Lograría yo acaso en el tiempo que aún me falta por vivir alcanzar, para otra forma nueva de expresión, el mismo extremo que alcanzó mi voz en sus largos años de mi vida escrita?».

J. CORREDOR-MATHEOS

SIGLAS UTILIZADAS

PC = *Poesías completas*, Buenos Aires, 1961.
ATH = *Abierto a todas horas*, Madrid, 1964.
RPC = *Roma, peligro para caminantes*, Méjico, 1968.
8NP = *Los 8 nombres de Picasso*, Barcelona, 1970.
CAVA = *Canciones del Alto Valle del Aniene*, Buenos Aires, 1972.

BIBLIOGRAFÍA

Libros publicados por Rafael Alberti desde su salida de España

Vida bilingüe de un refugiado español en Francia (1939-1940). Editorial Bajel, 1942 (junto con *De un momento a otro (drama de una familia española), Cantata de los héroes y la Fraternidad de los pueblos)*.

Pleamar (1942-1944). Editorial Losada, S. A., Colección «Poetas de España y América», Buenos Aires, 1944.

A la pintura (poema del color y la línea) (1945-1948). Editorial Losada, S. A., Colección «Poetas de España y América», Buenos Aires, 1948.

Coplas de Juan Panadero (libro I). Edición «Pueblos Unidos», Montevideo, 1949.

Retornos de lo vivo lejano (1948-1952). Editorial Losada, S. A., Colección «Poetas de España y América», Buenos Aires, 1952.

Ora maritima, seguida de Baladas y canciones del Paraná (1953). Editorial Losada, S. A., Colección «Poetas de España y América», Buenos Aires, 1953.

Baladas y canciones del Paraná (1953-1954). Editorial Losada, S. A., Colección «Poetas de España y América», Buenos Aires, 1954.

Sonríe China (en colaboración con María Teresa León). Jacobo Muchnik, editor, Buenos Aires, 1958.

Poesías completas. Editorial Losada, S. A., Buenos Aires, 1961. Contiene un índice autobiográfico y bibliografía por Horacio Jorge Becco.

Abierto a todas horas (1960-1963). Afrodisio Aguado, S. A., Madrid, 1964.

El poeta en la calle, poesía civil (1931-1945). Colección Ebro, París, 1966.

Roma, peligro para caminantes (1964-1967). Joaquín Mortiz, Méjico, 1968.

Los 8 nombres de Picasso y no digo más que lo que no digo (1966-1970). Editorial Kairós, Barcelona, 1970.

Poesía (1924-1967). Aguilar, Madrid, 1972. Primer volumen de la obra completa, al cuidado de Aitana Alberti.

Canciones del Alto Valle del Aniene (1967-1972). Editorial Losada, S. A., Buenos Aires, 1972.

Desprecio y maravilla (Disprezzo e meraviglia: edición bilingüe). Editori Riuniti, 1972.

Se citan aquí únicamente las primeras ediciones de los libros nuevos publicados por Rafael Alberti desde su salida de España. Se ha considerado oportuno, dado el carácter de esta antología, prescindir de las ediciones privadas o limitadas, así como de las antológicas.

POEMAS DEL DESTIERRO Y DE LA ESPERA

Los poemas recogidos en esta selección han sido ordenados de nuevo, en parte, por Rafael Alberti, quien asimismo ha modificado la redacción de algunos versos.

VIDA BILINGÜE DE UN REFUGIADO ESPAÑOL EN FRANCIA

(1939-1940)

1

Me despierto.
París.
¿Es que vivo,
es que he muerto?
¿Es que definitivamente he muerto?
Mais non...
C'est la police.

Mais oui, monsieur.
—Mais non...
(Es la Francia de Daladier,
la de monsieur Bonnet,
la que recibe a Lequerica,
la Francia de la Liberté.)

¡Qué dolor, qué dolor allá lejos!
Yo tenía un fusil, yo tenía
por gloria un batallón de infantería,
por casa una trinchera.
Yo fui, yo fui, yo era
al principio del Quinto Regimiento.
Pensaba en ti, Lolita,
mirando los tejados de Madrid.
Pero ahora...
Este viento,
esta arena en los ojos,
esta arena...
(Argelés! Saint-Cyprien!)

Pensaba en ti, morena,
y con agua del río te escribía:
«Lola, Lolita mía».

¿Qué, qué, qué? La sirena.
Jueves. La aviación.
Pero ¡cómo! –Mais oui.
–Mais non, monsieur, mais non.
(Toujours!) C'est la police.
–Avez-vous votre récépissé?
(Es la Francia de Daladier,
de Leon Blum y de Bonnet,
la que aplaude a Franco en el cine,
la Francia des Actualités.)

¡Qué terror, qué terror allá lejos!
La sangre quita el sueño,
hasta a la mar la sangre quita el sueño.
Nada puede dormir.
Nadie puede dormir.

...Y el miércoles del Havre sale un barco,
y este triste *allá lejos* se quedará más lejos.

–Yo a Chile,
yo a la URSS,
yo a Colombia,
yo a México,
yo a México con J. Bergamín.

¿Es que llegamos al final del fin
o que algo nuevo comienza?

–Un café crème, garçon.
Avez-vous «Ce Soir»?
Es la vida de la emigración
y un gran trabajo cultural.

Minuit.
Porte de Charenton o Porte de la Chapelle.
Un hotel.
París.
Cerrar los ojos y...
Qui est-ce?

C'est la police.

2

Andar.
No son campos ni carreteras.
Es sobre todo
este subir y este bajar las escaleras
del Metropolitano,
este ir leyendo sin querer
DUBO DUBON DUBONNET
para ocultarle al flic y al agente de la Secreta
el deseo de abrir «L'Humanité».
—Bonjour, madame.
El mercado.

Madrid vencía y resistía
con un poco de pan
amasado por los soldados,
y bajo un cielo continuo de granadas
dormía y trabajaba
asombrando hasta a las raíces de la tierra,
conquistando hora a hora y dolor a dolor
el ser la capital del honor
y las libertades del mundo.
(Madrid soñaba esto
y diariamente lo escribía,
mientras que turbias manos
lo mataban y lo vendían.)

Des pommes de terre.
Entrecôte.
Place Monge.
Desmoulins.

—Las cuestiones de España
no interesan, monsieur.

Vive la Garde Republicaine!
Aux armes, citoyens!

3

Musée du Louvre. El Prado.
Una peseta. Nada.
Mais ça c'est trop: 3 francos.

(Il ne faut pas oublier
que vous étes un pauvre emigré.)

El Prado.
El Prado.
El Prado.
Arde Madrid. Ardía
por sus cuatro costados.
Llueve también. Llovía
mientras que sus paredes se quedaban vacías.
Tristes y ciegos claros,
salas sólo de huellas en los muros desiertos.
—Ou-est l'école espagnole?
Toledo.
Tú eres todo Toledo, Señor.
Esa cal de los huesos
que te han puesto por fuera
la vi blanca de muertos
y amarilla.
Unos doblados, de rodillas,
negros de sangre y miedo.
Y de valor.
Porque tú eres todo Toledo, Señor,
tan lejos de Toledo.
Crucificado,
escupido como un sucio escobón abierto
contra un cielo bombardeado.
Vendido.

Terror.
No era sólo el calor,
calor de España, Señor.
Por el llano, por el otero,
por la ahogada guadaña del río,
fuego nacional y extranjero.

No era sólo calor lo que caía.
Niebla era lo que envolvía
a aquellos reyes y señores,
vivos pintados personajes
que involuntariamente se iban de viaje.

Motores.
¡Alerta, milicianos!
Mientras por la amenazada neblina
se van perdiendo las Meninas
y el Carlos V de Ticiano.
¡Noche aquella sin sueño!

Musée du Louvre.
El Prado.

(¡Jí, jí!
¡Jí, jí!
C'est gai.)

Cantemos La Internacional
y ese triste Himno de Riego
porque
il pleut
—pardon—
sur mon coeur.

4

Au revoir,
Adiós.

Au brouillard de la France.
Au soleil de l'Espagne.

Adiós.
Au revoir.

Ahí quedas, vieja Europa, sacudida
de norte a sur, de oriente hasta occidente.
Hora de la partida.

Te abandono apagada, tristemente encendida.
Con otra luz espera volverte a hallar mi frente.

Muchas gracias, amigos;
más que amigos, hermanos.
De «quelque part» muy pronto saldrá un barco,
saldrá un barco apagado.

Corpus. Ninoche. Marcela.
Puede ser que un pescado,
a medianoche, un día,
os traiga un telegrama submarino.
Desde hoy, estad en vela.
(La firma será mía.)

Aragón.
Una mina.
Una explosión.

En el fondo del mar,
quizás viva la paz,
pobre emigrada hundida,
sin patria y sin destino,
desdichada apatrida.

Pero entre pez y ola se va abriendo un camino.

Jouvenel. Bataillon.
Richard Bloch. Jean Cassou.
Como soy andaluz
y de los finos,
quiero mezclarlo todo.
Confusión.
Quizás hoy no se pueda torear de otro modo.
Despiadado toreo.
¡Oh burla! ¡Oh burladera!

América del Sur es una gran barrera
para mirar los toros.
Cuesta cara la entrada.
(Si el SERE no te ayuda, una cornada.)

Mantecón.
Por el Alto Aragón
y por el bajo
van borrando tu nombre,
nuestros nombres.
Quiere tomarse Franco ese triste trabajo.

Hace frío en el puente,
pero luego calor.
(A 30 bajo cero, el Ecuador.
Y Europa, sobre cero, a 120.)

Quiroga. Juan Vicens.
A lo lejos, la Junta de Cultura,
y estampado con tinta en una hoja,
F. Giner Pantoja...
...Y la voz de Sánchez Ventura.

El mar, ya.
Un abismo.
Au revoir!
Good bye!
¡Salud!
(Las gaviotas.)
Y yo, el mismo.

5

(Diario de a bordo.)

FEBRERO, 10. Marsella.

Sella el mar para mí mi último puerto.
Adiós, adiós, Europa.
Aunque es febrero y frío,
libre de ropa
baja la Cannebiere al mar Diana.
Bullabesa. Mañana,
triste, en el oceano,
Europa para mí será un fuego lejano
a través de la zona de las lluvias.

En el «Mendoza»,
todo suena a español
raído, de Orán.
Azul, se estira Ibiza.
Allí fui prisionero en un monte de pinos.
Mi vida era una choza
de parasol
y vientos marinos.

Hay auras del Cuartel de la Montaña
en este viejo barco.
Involuntario, marcha a la Legión
oro puro de España.
Azoteas. Terrados.
¡Salud, hijos del Ebro!
(Se me cae a la mar el corazón
y se me escapa a nado.)
¡Ay, qué será de ti!

Amanece el Peñón de Gibraltar
y la cola del toro se estremece.
¿El toro va a saltar
o es que perece,
en la cruz el estoque,
mortal, definitivo,
hasta la empuñadura?
Habla, toro: ¿estás vivo,
o está tu piel madura
para el colonizaje?
¿Por el Mediterráneo morirá otro paisaje?
Ilustres mausoleos:
la serpiente de Egipto flota muerta
y al águila de Júpiter la visita el turismo.
¿Llegarás a ser toro de museo,
capítulo acabado de texto de instituto,
o seguirás el mismo
toro de las Hespérides,
arbolados los cuernos de jardines,
tachonados de frutos?

Se aleja el toro, ¡pobre!,
por ahora inservible para el ruedo.

Está minado el mar
y las verdes sirenas tienen miedo.
¿Neptuno es alemán, es hitleriano
y ataca en submarino?
Camuflage.
¿Es el rey del bloqueo el gran Matusalén del oceano?
¿Se llama Von Neptuno,
Lord o Monsieur el salvaje
pirata de las ondas y equipaje?

Casablanca.
No hay orden de atracar.
Zona corsaria,
navegación prudente, sigilosa.
Las Canarias.
Y Dakar,
con la tarde rosa.
Han desaparecido la Polar
y las dos Osas.

Capricornio
cuelga sobre los mástiles
un telón de añil nuevo.
Los planetas
descienden por la boca de los respiraderos.
Mercurio en las cabinas registra las maletas.
Y Venus compromete
a los marineros,
pero para dormir se va con el grumete.

Prohibido arrojar
materias flotadoras
al mar.
Se cierren las estelas delatoras
como si no hubo paso de navío.
Voladores.
Por el Ecuador, frío.

En el Pot-au-noir
se precipitó el cielo
hasta tenderse, plano, sobre el agua.
En aquel hoyo negro de la tierra,

rebosado de lento plomo líquido,
de solitaria superficie ahogada,
se sentía lo inútil del grito de socorro,
la muerte sin auxilio,
el peso del pulmón parado, descendiendo
adonde todo es densidad y fijo
reposo rodeado de mudo movimiento.

Por el Ecuador, viento
y cante flamenco,
cante jondo en primera.
¡Ay, ayay, que me muero!
Manuel Torres.
Álamos de la orilla,
Guadalquivir abajo.
Y en las marismas, toros
viendo pasar los barcos.

Fernando Villalón.
Sánchez Mejías.
Y bajo el olivar,
mirando al cielo,
Federico.
Y el sollozo del mar
en mi pañuelo.

Miremos a otro lado que no resuene a sangre.

Bajo la Cruz del Sur
cambiará nuestra suerte.
América.
Por caminos de plata hacia ti voy
a darte lo que hoy
un poeta español puede ofrecerte.

ENTRE EL CLAVEL Y LA ESPADA

(1939-1940)

A Pablo Neruda

DOS SONETOS CORPORALES

1

Huele a sangre mezclada con espliego,
venida entre un olor de resplandores.
A sangre huelen las quemadas flores
y a súbito ciprés de sangre el fuego.

Del aire baja un repentino riego
de astro y sangre resueltos en olores,
y un tornado de aromas y colores
al mundo deja por la sangre ciego.

Fría y enferma y sin dormir y aullando,
desatada la fiebre va saltando,
como un temblor, por las terrazas solas.

Coagulada la luna en la cornisa,
mira la adolescente sin camisa
poblársele las ingles de amapolas.

2

(Guerra a la guerra por la guerra.) Vente.
Vuelve la espalda. El mar. Abre la boca.
Contra una mina una sirena choca
y un arcángel se hunde, indiferente.

Tiempo de fuego. Adiós. Urgentemente.
Cierra los ojos. Es el monte. Toca.
Saltan las cumbres salpicando roca
y otro arcángel se hunde, inútilmente.

¿Dinamita a la luna también? Vamos.
Muerte a la muerte por la muerte: guerra.
En verdad, piensa el toro, el mundo es bello.

Encendidos están, amor, los ramos.
Abre la boca. (El mar. El monte.) Cierra
los ojos y desátate el cabello.

METAMORFOSIS DEL CLAVEL

A. Ricardo E. Molinari

1

Junto a la mar y un río y en mis primeros años,
quería ser caballo.

Las orillas de juncos eran de viento y yeguas.
Quería ser caballo.

Las colas empinadas barrían las estrellas.
Quería ser caballo.

Escucha por la playa, madre, mi trote largo.
Quería ser caballo.

Desde mañana, madre, viviré junto al agua.
Quería ser caballo.

En el fondo dormía una niña cuatralba.
Quería ser caballo.

2

Me fui.
Las conchas están cerradas.
Aquel ciego olor a espuma
siempre se acordó de mí.

Siempre me buscaba.

Me fui.
Estoy torciendo limones
a un plato de agua salada.
Siempre me acordé de ti.

Siempre te encontraba.

Me fui.
Las conchas siguen cerradas.

3

Se equivocó la paloma.
Se equivocaba.

Por ir al norte, fue al sur.
Creyó que el trigo era agua.
Se equivocaba.

Creyó que el mar era el cielo;
que la noche, la mañana.
Se equivocaba.

Que las estrellas, rocío;
que la calor, la nevada.
Se equivocaba.

Que tu falda era tu blusa;
que tu corazón, su casa.
Se equivocaba.

(Ella se durmió en la orilla.
Tú, en la cumbre de una rama.)

TORO EN EL MAR

(ELEGÍA SOBRE UN MAPA PERDIDO)

1

A aquel país se lo venían diciendo
desde hace tanto tiempo.
Mírate y lo verás.
Tienes forma de toro,
de piel de toro abierto,
tendido sobre el mar.

(De verde toro muerto.)

2

Mira, en aquel país
ahora se puede navegar en sangre.
Un soplo de silencio y de vacío
puede de norte a sur, y sin dejar la tierra,
llevarte.

3

Eras jardín de naranjas.
Huerta de mares abiertos.
Tiemblo de olivas y pámpanos,
los verdes cuernos.

Con pólvora te regaron.
Y fuiste toro de fuego.

4

Le están dando a este toro
pastos amargos,
yerbas con sustancia de muertos,
negras hieles
y clara sangre ingenua de soldado.

¡Ay, que mala comida para este toro verde,
acostumbrado a las libres dehesas y a los ríos,
para este toro a quien la mar y el cielo
eran aún pequeños como establo!

5

Sobre un campo de anémonas,
cayó muerto el soldado.
Las anémonas blancas,
de grana lo lloraron.
De los montes vinieron jabalíes
y un río se llenó de muslos blancos.

6

No se podía dormir, porque escuchaba
abrirse hoyos y hoyos en la tierra.
No se podía andar, no se podía.
Los pasos ya no eran,
ya no eran pasos, porque todo el cuerpo
era lo que se hundía,
lo que había de hundirse...
...y se iba hundiendo.

7

Habría que llorar.
Sólo ortigas y cardos,
y un triste barro frío,
ya siempre, en los zapatos.

Cuando murió el soldado,
lejos, escaló el mar una ventana
y se puso a llorar junto a un retrato.

Habría que contarlo.

8

Todo oscuro, terrible. Aquella luna
que se rompió, de pronto, echando sangre.
Aquel desprevenido silencio
que de pronto impedía que mojase
la sangre al corazón, abriendo puertas
para dejarlo hundido, abandonado,
dentro de un uniforme
sin nadie.

Todo oscuro, terrible.

Mas cuando fue a entender lo que quería,
ya tan sólo era un traje.

9

...Y le daré, si vuelvo, una toronja
y una jarra de barro vidriado,
de esas que se parecen a sus pechos
cuando saltan de un árbol a otro árbol.

Pero en vez del soldado,
sólo llegó una voz despavorida
que encaneció el recuerdo de los álamos.

10

Sonaba el miedo a gozne sin aceite,
a inviolado jardín y a tabla seca.
Olía a viento de pasillo oscuro
y a invisible mantel
goteado de cera.

(Cuando salió el soldado de la celda,
sobre la tapia izó el fusil al cielo,
ondeando una toca por bandera.)

11

¡Ay, a este verde toro
le están achicharrando, ay, la sangre!
Todos me lo han cogido de los cuernos
y que quieras que no me lo han volcado
por tierra, pateándolo,
extendiéndolo a golpes de metales candentes,
sobre la mar hirviendo.
Verde toro inflamado, ¡ay, ay!,
que llenas de lamentos e iluminas, helándola,
esta desventurada noche
donde se mueven sombras ya verdaderamente sombras,
o ya desencajadas sombras vivas
que las han de tapar también las piedras.

¡Ay verde toro, ay,
que eras toro de trigo,
toro de lluvia y sol, de cierzo y nieve,
triste hoguera atizada hoy en medio del mar,
del mar, del mar ardiendo!

12

La muerte estaba a mi lado,
la muerte estaba a tu lado.
La veía
y la veías.

Sonaba en todo la muerte,
llamaba a todo la muerte.
La sentía
y la sentías.

No quiso verme ni verte.

13

Como aquellas que ardían, trasminando,
blancas, sobre los árboles abiertos,
e iguales para el hoyo de las manos.

(Cuando una bala le partió su sueño,
de entre la tierra que tapó al soldado
dos magnolias subieron,
dos magnolias iguales que tenían
por raíces sus dedos.)

14

La carta del soldado terminaba:
«Y hallará el alba, amor, en esa noche
más sitio en las orillas de las sábanas.»

Pero el alba que vino
venía con un nudo en la garganta.

15

El soldado soñaba, aquel soldado
de tierra adentro, oscuro: —Si ganamos,
la llevaré a que mire los naranjos,
a que toque la mar, que nunca ha visto,
y se le llene el corazón de barcos.

Pero vino la paz. Y era un olivo
de interminable sangre por el campo.

16

¿Quiénes sin voz de lejos me llamáis
con tan despavorido pensamiento
y en aterrado y silencioso viento
sin sonido mi nombre pronunciáis?

¿Quiénes y qué pedís y qué gritáis
y qué se muere en tan remoto acento;
quiénes con tan callado llamamiento
los huesos de la piel me desclaváis?

Saben los dientes a palabra helada,
la lengua muerta a fallecido espanto
y el corazón a pulso enmudecido.

La piel de toro fluye ensangrentada,
fluye la mar un seco mar de llanto...
...y quienes me llamaban ya se han ido.

17

Mas cuando ya a los años que se tienen
nos corren por la sangre ya más muertos que años,
lo mejor es ser álamo.
Álamo que ha asistido a una batalla
y va contando noches con nombres de soldados.

18

Aquel olor a inesperada muerte,
a soldado sin nombre y sin familia,
dando a los hormigueros de la tierra
quizás el mejor traje de su vida,
de la vera de un olmo
se me llevó el aroma de mi amiga.

19

(Muelle del Reloj.)

A través de una niebla caporal de tabaco
miro el río de Francia,
moviendo escombros tristes, arrastrando ruinas
por el pesado verde ricino de sus aguas.
Mis ventanas
ya no dan a los álamos y los ríos de España.

Quiero mojar la mano en tan espeso frío
y parar lo que pasa
por entre ciegas bocas de piedra, dividiendo
subterráneas corrientes de muertos y cloacas.
Mis ventanas
ya no dan a los álamos y los ríos de España.

Miro una lenta piel de toro desollado,
sola, descuartizada,
sosteniendo cadáveres de voces conocidas,
sombra abajo, hacia el mar, hacia una mar sin barcas.
Mis ventanas
ya no dan a los álamos y los ríos de España.

Desgraciada viajera fluvial que de mis ojos
desprendidos arrancas
eso que de sus cuencas desciende como río
cuando el llanto se olvida de rodar como lágrima.
Mis ventanas
ya no dan a los álamos y los ríos de España.

20

Querías despertarte, pobre toro,
abrumada de nieblas la cabeza.
Querías sacudir la hincada cola
y el obligado párpado caído refrescarlo en el mar,
mojándote de verde las pupilas.
Resollabas de sangre, rebasado, abarcado,
oprimido de noche y de terrores,
bramando por abrir una brecha en el cielo
y sonrosarte un poco de dulce aurora
los despoblados ramos de tus astas.

Gaviotas amarillas
y despitados pájaros de tierra
tejían sobre ellas
silenciosas coronas de silbos triste y alas.

Niños muertos perdidos rodaban los delfines
por tus desfallecidas riberas
de lagares y aceite derramados,

mientras que tú, alejándote,
dejabas en mis ojos el deseo
de alzarte de rodillas sobre el mar,
encendiendo otra vez sobre tu lomo
el sol, la luna, el viento y las estrellas.

(Estrecho de Gibraltar.)

21

Canario sólo en el mar.
Canta al toro que se aleja,
que se va.

Las gaviotas de los palos
ya no están.
La lluvia las mandó a tierra.

Canta al toro que se aleja.

En el mar perdí la mar
y en tierra perdí la tierra.

Que se va,
canta al toro que se va.

22

Te oigo mugir en medio de la noche
por encima del mar, también bramando.
Y salgo a oírte, sin dominio, a tientas,
a ver entre la helada y el sonoro
crecimiento tranquilo de los pastos
como va descendiendo hasta mi inmóvil
desolación ese desierto tuyo,
ese arenal de muertos
que sopla de tu voz sobre las sombras.

23

(21 de junio.)

Ven y que te amortaje entre violetas
en esta planetaria noche triste,
final de tantas cosas, para siempre
bajo escombros un número sangriento;

que te amortaje, sí, mientras el humo
de este otoño del sur me va borrando,
dándome alma de hoja consumida,
niebla en la niebla, sueño de otro sueño;

que la mortaja fresca que te doy
traspase de morado olor y húmeda
luz esas vivas, misteriosas ramas,
oculto pasto verde de tus huesos.
Ven y que te amortaje entre violetas.

(1940)

24

(A González Carbalho.)

Amigo de la pena,
amigo, amigo:
que el dolor solo, mira,
no sea sólo tu amigo.

Mira: sólo tu amigo.

Cuando el trigal se duele,
amigo, amigo,
se duele todo el trigo.

Mira: todo el trigo.

Y si el pastor se queja,
amigo, amigo,
llora toda la aldea.

Mira: toda la aldea.

Amigo, mira el mar:
si se duele una ola,
son todas las que rompen a llorar.

Todas, mira, a llorar.
Amigo, amigo.

25

Todos creíamos.
El mar no quiso ser mar.
(Fuimos a verlo. Era cierto.)

Todos creíamos.
La noche se ha vuelto toro.
(Fuimos a verlo. Era cierto.)

Todos creíamos.
La tierra habló y dijo: ¡Tierra!
(Fuimos a verlo. Era cierto.)

Todos creíamos.
Se hirió de muerte la muerte.
(Fuimos a verlo. Era cierto.)

Todos creíamos todo,
menos lo que hoy creemos.
(¿Será cierto?)

26

Quiero decirte, toro, que en América,
desde donde en ti pienso –noche siempre–,
se presencian los mapas, esos grandes,
deshabitados sueños que es la Tierra.

Bien por aquí podrías, solitario
huésped y amigo, esas sedientas ascuas,
que un estoque enterrado hasta los huesos
prende en tu sangre, helarlas mansamente.

Yo quería dormir tranquilo, un poco,
pues me hace falta, como a ti; quería,
cuan largo y triste como tú, tumbarme
siquiera en el retraso de una aurora.

Pero me he levantado, ya que andaba,
párpado insomne el fijo pensamiento,
pensando en ti, para –¡luceros sordos
en la noche de América!– decírtelo.

27

Abrí la puerta.
En donde no había camino,
vi una vereda.
Anduve.

Anduve, y a los dos lados,
bien dormido, iba sembrando;
al uno, pasto de plata;
al otro, dorado.

Cuando volvía,
como una sombra, vi un toro,
llorando.

28

Aquellos algarrobos
me oyeron cantar,
junto a la noble muerte
y el noble mar.

Pobre toro cercano,
te oigo bramar.

Algarrobos de América
me veis llorar,
junto a la rota vida
y el nuevo andar.

Pobre toro lejano,
te oigo bramar.

29

Cornearás aún y más que nunca,
desdoblando los campos de tu frente,
y salpicando valles y laderas
te elevarás de nuevo toro verde.

Las aldeas
perderán sus senderos para verte.

Se asomarán los hombros de los ríos,
y las espadas frías de las fuentes
manos muertas harán salir del suelo,
enramadas de júbilo y laureles.

Los ganados
perderán sus pastores para verte.

Te cantarán debajo tus dos mares,
y para ti los trigos serán puentes
por donde saltes, nuevo toro libre,
dueño de ti y de todo para siempre.

Los caminos
perderán sus ciudades para verte.

Mens non exulat.
OVIDIO.

DE LOS ÁLAMOS Y LOS SAUCES

EN RECUERDO
DE ANTONIO MACHADO

...y por oílla
los sauces se inclinaron a la orilla.
PEDRO DE ESPINOSA.

...álamos de las márgenes del Duero,
conmigo vais, mi corazón os lleva!
ANTONIO MACHADO.

1

Dejadme llorar a mares,
largamente como los sauces.

Largamente y sin consuelo.
Podéis doleros...
Pero dejadme.

Los álamos carolinos
podrán, si quieren, consolarme.

Vosotros... Como hace el viento...
Podéis doleros...
Pero dejadme.

2

Y cantaré más alto,
aunque esta tierra ni me escuche y hable.

Y echaré mis raíces
de manera que crezcan hacia el aire.
¿De quién es esa voz,
esas ramas que pasan sin pararse?

De los álamos tienen
el tiemblo, y el silbido de los sauces.

¿A dónde irán, perdidas,
cantando, ciegas, sin mirar a nadie?

Van a la mar, al mar. Si no volvieran,
es que quieren quedarse.

3

Veo en los álamos, veo,
temblando, sombras de duelo.

Una a una, hojas de sangre.
Ya no podréis ampararme.

Negros álamos transidos.
¡Qué oscuro caer de amigos!

Vidas que van y no vienen.
¡Ay, álamos de la muerte!

4

Salí a ver los álamos.

La tierra huía, temblando.
Descoyuntada, la tierra.
Sólo vi huesos
desparramados.

¿Cómo vosotros ausentes,
álamos?

Se oía
mudar de forma al planeta.
Desprenderse
de su arrugada corteza,
amarillenta
de pobladores ya muertos.

Álamos,
¿cómo vosotros risueños?

La sombra, siempre la sombra
cedió las llaves del fuego.
Triste desgracia es quemarse
cuando propagan los ríos
su horror ardiendo a los mares.

Salí a ver los álamos.
(Nadie.)

5

Ahora me siento ligero,
como vosotros, ahora
que estoy cargado de muertos.

Voy a crecer, a subir.
Voy a escalaros
ahora que tengo mil años.

¡Detenedme, que ya subo!
¡Paradme, que ya os alcanzo!

No me dejéis, ya en el viento,
mirar abajo.

6

A ti, enterrado en otra tierra

Perdidos, ¡ay, perdidos!
los niños de la luz por las rotas ciudades
donde las albas lentas tienen sabor a muerto
y los perros sin amo ladran a las ruinas;
cuando los ateridos
hombres locos maldicen en las oscuridades,
se vuelcan los caballos sobre el vientre desierto
y solamente fulgen guadañas repentinas;

entonces, que es ahora,
pienso en ti, en esa noble osamenta abonando
trigos merecedores de más verdes alturas,
árboles que susurren tu nombre dignamente,
y otro cielo, otra aurora
por los que te encontraras tranquilo, descansando,
viéndote en largo sueño remontar las llanuras,
hacia un clamor de torres erguidas al poniente.

Pienso en ti, grave, umbrío,
el más hondo rumor que resonara a cumbre,
condolido de encinas, llorando de pinares,
hermano para aldeas, padre para pastores;
pienso en ti, triste río,
pidiéndote una mínima flor de tu mansedumbre,
ser barca de tus pobres orillas familiares
y un poco de esa leña que hurtan tus cazadores.

Descansa, desterrado
corazón, en la tierra dura que involuntaria
recibió el riego humilde de tu mejor semilla.
Sobre difuntos bosques va el campo venidero.
Descansa en paz, soldado.
Siempre tendrá tu sueño la gloria necesaria:
álamos españoles hay fuera de Castilla,
Guadalquivir de cánticos y lágrimas del Duero.

En El Totoral
(Córdoba de América), 1940, Junio.

Duerme, vuela, reposa: ¡También se muere el mar!
FEDERICO GARCÍA LORCA.

DEL PENSAMIENTO EN UN JARDÍN

A José Bergamín, en México.

No estás, no, prisionero, aunque te oprima
la madreselva en flor, deliberada,
con el clavel que te defiende a esgrima
del gladiolo que te embiste a espada.

Tan húmedos y opuestos veladores,
hoy dan jardín al pensamiento errante,
tendiéndole ya cama o ya escalera,
para que estalle pensamiento flores
o suba pensamiento enredadera.

Trepe el mío, regado y verdeante,
por el sol del destierro y de la espera.

Calce, al subir, lo primero,
la espuela de caballero.
Flor de espuela,
hiere, flor,
al pensamiento en candela.
Galopar ensangrentado.
Potro de muerte. Dolor.
—Sí, yo era soldado.
(¡Mi capitán!)

Jazmines de jazmines.
Árabe aroma. (¡Cuánto moro ahogado!)
Párate, pensamiento.
La amapola. Quizás la adormidera.
(Sólo quedó de aquel destacamento
una naranja en la trinchera.)

Por la malva real,
niña, te lo diré,
o por la buganvilia,
decarminada aún la cabellera.
Compréndelo, rosal.

(«Pura, encendida rosa...»)
Por el Guadalquivir sube, llorando, el mar,
dejando sin oliva al olivar
y sin esposo a la esposa.

El llorar tiene huesos,
amor, como las frutas.
Lágrimas de piñones.
Por eso al pensamiento cuando canta
se le hace un nudo en la garganta,
de ciruelas o melocotones.

Escúchalo, alhelí,
para contarlo luego al heliotropo:
pálida era mi madre, y carmesí,
cuando me la enterraron bajo un chopo.

Doblégate a la grama, trepadora,
pensamiento sin bridas.
¡Frena!
¡Freno!
Es toda oídos la azucena
y el amaranto moreno.

Dura es la tierra y, obstinadamente,
dura la piel del tiempo que pisamos;
duro lo que trasluzca así la frente,

dura la sangre bajo la corteza
del corazón; así, lo que soñamos:
duro lo incierto y dura la certeza.

Hace su aparición en mí la azada,
por su propio, espontáneo movimiento,
no por mi impuesta soledad llamada.

Ya que me tienes, rompe, hiende, corta
las raíces, descuaja el fundamento,
¡y a enterrar, a enterrar, que es lo que importa!

¡A enterrar! Lluvias frescas al olvido.
No puede ser el hombre una elegía
ni hacer del sol un astro fallecido.

Aunque le haga crujir y desvencije
los desterrados huesos la agonía
que su claro pretérito le inflige,

también la azada al enterrar incluye,
en momentánea asfixia rehogando,
el duro son para el laurel que huye.

¡Cavar, cavar, y verdecer cavando!

Verdece vid, pensamiento.
Sube, espíritu morado,
llama moscatel, rodado
por los barriles del viento.
Sé fósforo del laurel.

Corona incandescente.
Sangre nunca apagada.
Soy de un pueblo de héroes, cuya piel
es toda frente
iluminada.

¡Quién sacara del pozo
agua de lluvia sin sabor a muerto,
ya que los castañares
tienen tristezas militares
y aquel campo otro nombre: el de desierto!

Amo el geranio.
Flor de hierro, roja;
hierro siempre encendido,
dura hoja.
Pero es humana flor, no flor de ejido.

Voy hacia ti, ciprés desprevenido.
Sin réplica, nogal, abre tus brazos.
Zarza cruel, lagarto sigiloso.
Yedra de dientes sin reposo.

Arañazos.
Vida ruin, rastrera.

Mi pensamiento es más hermoso:
es flor y alta enredadera.

Aquí, donde con mano desterrada
y corazón en vuelo hacia castillos
de una ardiente verdad desmantelada,

vivo escuchando el césped e injertando
al rosal rosa mirlos amarillos,
amaneciendo en cuanto voy tocando;

decrezco ante el mañana y el ahora
que a las yedras descorren las ruinas
con su verde humedad devastadora,

y pienso: Era de musgos y verdines,
de sigilosas plantas serpentinas,
invadiendo poblados y jardines.

¿Es que quizás sonó para el planeta
el clarín de las zarzas y los cardos
y le llegó su fin a la violeta,

firmándose una ley marcial, oscura,
contra las azucenas y los nardos,
bajo la yedra alzada en dictadura?

Decidme: En tanto muro derruído,
en tanto pobre umbral sin aposento,
en tanto triste espacio sorprendido

y en tanto sueño amontonado en piedras,
¿ha de extender el desabrido viento
la colgadura helada de las yedras?

¡No, no! Zumben los picos, y las palas
con el azadón canten y repiquen.
El porvenir no es suyo. Nuevas alas

hay en las manos que lo justifiquen.

Verdece alas, pensamiento,
y sube, albo, al paraíso,
ya que el alerce y el aliso
desmantelaron, con derramamiento
de pura sangre lila, ayer, su nieve.

Sólo existe un azul.

(No hagas la rueda, firmamento.)
El tarco es quien lo llueve,
quien lo cuelga en su rama,
si no perdido, en lejanía.
Guadarrama.
¡Azul, azul del Guadarrama,
más azulado en la Fuenfría!

Otra vez con mis muertos.
¿Quién me puebla el recuerdo de ruinas?
¿Será ya escombros, muro derribado,
basural de gallinas,
escoria barredera
el pensamiento desterrado,
el pensamiento flor o enredadera?

Aunque le duela el álamo, está vivo,
como no estaban, no, no estaban muertos
mis muertos. Que lo diga,
duro, en su lengua ese amargor a olivo,
y en los ojos abiertos, bien abiertos,
esa luz, mar de fe, que lo mitiga.

Sé mi ejemplo, ligustro persistente;
planta vivaz, continua flor, rizoma
y siempreviva y siempreverde fuente.

Como mi patria: sol y aroma.

PLEAMAR
(1942-1944)

AITANA

HEMISFERIO AUSTRAL

Es el descenso del verano...
Ahora
que puedo pura y simplemente hablarte
en esta vacación mínima, extraña,
que la condescendencia de la muerte
me da, mira, miremos de la mano
este desconocido cielo solo,
sustentado por árboles y montes,
pampas, mares y gentes nunca vistos,
al girar de las horas trastrocadas.

Es el declive, la pendiente... Cuida
por las ya resbaladas
estrellas del nogal andar perdida.

Aquí, amarillos
astros de otoño a punto de caerse;
y por allí, caída, y bien caída
de los verdes castillos
del naranjal, la fiel, redonda dama,
que antes de adolecerse
de sí misma, se entrega, pura, en llama.

Nuevo, incógnito horario.
Trueque de meses, cambio de estaciones.

Sé las lunas, los vientos, sé la grama;
sin vacilar, los toros boreales;
de memoria, el herbario
de las constelaciones
mías, tan sólo mías,
natales.

Sé la tristeza de los buenos días.

Es el descenso del verano... El vino,
mientras allí se muere en primavera,
condoliendo a la flor el cuerpo exánime
sobre la tierra natural tirado,
revienta aquí, sangriento, en los toneles,
y al par que ya perdida se sonroja
la vid, se bebe el mosto de hoja en hoja,
armando el sol más pronto sus bajeles.

Es el resbaladero... Pierde, hija,
barcos la mar, la mar que tú conoces;
el aire, alas y voces,
y la paloma austral ley que la rija.
Sufre de nieve el funeral ejido
y de caballos reverdece el viento.
Cambio de sentimiento,
de vestido.

Una vez más al cielo y de la mano
demos el corazón hecho mirada,
en tanto que la luz llora aquí en grano
lo que allí en cabellera deshelada.

Es el descenso del verano...

ARIÓN

(VERSOS SUELTOS DEL MAR)

A Bautista Saint Jean

1

¡El ritmo, mar, el ritmo, el verso, el verso!

2

Dale a mi verso, mar, la ligereza,
la gracia de tu ritmo renovado.

3

Yo soy, mar, bien lo sabes, tu discípulo.
¡Que nunca diga, mar, que no eres mi maestro!

4

Cantan en mí, maestro mar, metiéndose
por los largos canales de mis huesos,
olas tuyas que son olas maestras,
vueltas a ti otra vez en un unido,
mezclado y sólo mar de mi garganta:
Gil Vicente, Machado, Garcilaso,
Baudelaire, Juan Ramón, Rubén Darío,
Pedro Espinosa, Góngora... y las fuentes
que dan voz a las plazas de mi pueblo.

5

Me siento, mar, a oírte.
¿Te sentarás tú, mar, para escucharme?

6

Sí, mar, lo sé, tú eres, para mí, la otra orilla.

7

No me dijiste, mar, mar gaditana,
mar del colegio, mar de los tejados,
que en otras playas tuyas, tan distantes,
iba a llorar, vedada mar, por ti,
mar del colegio, mar de los tejados.

8

Te metí desde niño, chica mar, en mi frente,
y allí fuiste creciendo en oleaje,
hasta hacerte mujer
y hombre a un mismo tiempo.

9

De niño, yo quería patinar por tus olas,
mar del sur, imposible al corazón de yelo.

10

De niño, mar, ¿no sabes?
yo te pintaba siempre a la acuarela.

11

De pronto, el mar suelta un caballo blanco...
y se queda dormido.

12

Me asomé a ver el mar. Y vi tan sólo
una mujer llorando
contra el cuarto menguante de una luna creciente.

13

Yo sé que tengo, mar, obligaciones
contigo, mar, que debo
recordar ciertas cosas...

14

Hoy, por ejemplo, mar, nos convendría,
tanto a ti como a mí,
hablar de nuestros muertos.

15

¿Será posible, mar, que cualquier noche
puedan mis enemigos secuestrarte?

16

Cuando crezcas, Aitana,
le enseñarás al mar Astronomía.

17

¡Qué feliz era, mar! Llegué a creerme
hasta que yo era tú y que me llamaban
ya todos con tu nombre.

18

Gritaban: ¡Rafael!
Y hasta podía
sostener en mi espalda los navíos.

19

Me extraña, mar, que ahora,
al cabo de los años,
me preguntes lo mismo exactamente.

20

Distanciado de ti, miro los libros,
paso y repaso hojas,
viendo, mar, que en algunas
te pareces al mar que ambos queremos.

21

Llegué a la casa, mar. Y fue mi asombro
encontrarte sentado en las butacas,
verte saltar del plato a las botellas,
pretextando a la noche cansancio y abandono
para ni concederme la mitad de mi lecho.

22

Abrí la puerta. El mar
con tanta confianza entró en la alcoba,
que ni el perro al mirarlo inquietó las orejas.

23

Siéntate, mar, y vamos
a contarnos la vida a la luz de la lámpara.

24

Ahora súbete, mar, a la azotea,
mientras que yo me tiendo en tu horizonte
para que me divises desde lejos.

25

«Niebla» llegó a aquel mar. Y a sus ladridos
se le llenó de espigas y amapolas.

26

Era hermoso ser ola,
ser crecido oleaje de aquel pueblo.

27

Hoy, mar, triste ola suelta,
desterrada del mar, sin pleamares.

28

Sí, yo era muchedumbre... Entre sus olas,
igual, múltiple mar, que entre las tuyas,
era una sola voz la que sonaba.

29

Si a ti, mar, te arrancaran de tu sitio,
descuajaran a hachazos de tu pueblo;
si ya como lenguaje te quedara
tu propia resonancia repetida;
si ya no fueras, mar, mar para nadie,
mar ni para ti mismo,
perdido mar hasta para la muerte...

30

¿Pasarás tú, mar pálido, algún día,
también la última hoja,
viendo espantado al arribar al índice
las páginas y páginas ya idas?

ÉGLOGA FÚNEBRE

A TRES VOCES
Y
UN TORO
PARA
LA MUERTE LENTA
DE UN POETA

[1942]

A LA MEMORIA
DE MIGUEL HERNÁNDEZ

Voz 1: *Antonio Machado.*
Voz 2: *Federico García Lorca.*
Voz 3: *Miguel Hernández.*
UN TORO

(Lo que ya sucedió y aquí sucede,
sucede todo junto a un lento río
donde flota la vida de la muerte.
La tierra que divide no es ya tierra,
que es taladro, garganta solamente
para tragar la muerte de la vida,
para tapar la vida de la muerte.
Lo que pasa por él es lo que pasa,
lo que enmudece en él, lo que enmudece.

Si la vida no vive, en él no vive;
si sí la muerte, en él sólo la muerte.
Fijo en sus ondas, que no van al mar,
fijo en su brisa, que ni va ni viene.
Crecido sólo si la vida baja,
sólo crecido si la muerte crece.)

1

En el principio eran las alas, eran
los aprendices ramos voladores.
Eran las plumas en el primer día,
que relámpagos súbitos nacieran.
En estado de pájaro se abría
la luz y en situación también de flores.
Podía el poeta remontar jilguero
y descender canario a los bardales.
Podía abrir, cerrar de ruiseñores
la flor del limonero
y el naranjel morirse de zorzales.
Podía el corazón lo que quería.
En el principio eran las alas, pero
también, en el principio, la alegría.

VOZ 1

Yo fui «aprendiz de ruiseñor».

VOZ 2

Mi frente.
lo fue de montes y cabalgaduras.

VOZ 3

Yo vine a ser, vine a nacer simiente,
bulbo, raíz, tirón para el arado.

VOZ 1

Mi canto, estepa.

VOZ 2

El mío, escarpaduras.

VOZ 3

De tierra el mío, por desenterrado.

(Un toro derribado,
junto a la orilla,
herido.
Su piel son agujeros
de sangre rota y penas,
por los que asoma y brilla
entumecido
un pasado de azules ganaderos,
hoy de mordaza y de cadenas.)

EL TORO

En el principio, la alegría. Entraba,
de poder a poder, volcado, abierto,
mi corazón al mar, desmesurándolo
hasta el mismo nivel de las estrellas.
Subí a cumbres celestes los navíos,
a riberas lunares mis orillas.
Llegó a ignorar el hombre de las playas
si eran sus arenales los del cielo.
Recamado de huertas y jardines,
me trasplanté, toro floral, pacífico,
enredada las astas de granados,
escaleras arriba de las nubes.
Al hombre de la esteva y la guadaña
lo empiné a eternas, verdes maravillas
de onduladas alturas candeales.
En los patios tranquilos, las mujeres
no lloraban la ausencia de los niños
ni la del tordo que hospedó la jaula.
De la cola a los cuernos me fluían
pueblos empavesados de hermosura.

VOZ 1

Alas mi voz, se me escapó de un río
del que siempre volé de tu llanura,
cuando me fui quedando
vida de sombra, romeral bravío,
humo de pobre espliego divagando;
cuando mi clara voz se hizo neblina
y se me fue pasando
de rama verde de olivar a encina.

VOZ 2

Potro de monte, ciervo despeñado
por los desfiladeros
de una luna perdida en un camino;
clavel disciplinado, castigado
a ser por tristes molineros
harina muerta de molino.
¡Oh voz, oh limpia voz de escarpadura,
oh jinete de céfiro, oh destino
de brisa malograda y prematura!

VOZ 3

Voz de tierra, mi voz se me salía,
de raíces y entrañas, polvorienta,
seca de valles, seca de sequía,
amarilla de esparto, amarillenta.
Suplicante de alcores
y frescos desniveles de ribazos,
de ser de altura y regadía,
me derramé, sangrienta,
acribillándome de flores
y de abejas los brazos.

VOCES 1, 2 y 3

¡En el principio era la alegría!

EL TORO

Pero un mal viento la hizo mil pedazos.

(Aquí el río espesó súbitamente,
suplicándole ahogado a sus orillas
crecieran piedra contra tanta muerte.
Era la vida humana sin la vida,
era la vida humana con la muerte.
Cuando más suplicaba, un soplo helado,
una triste parálisis creciente,
un rígido temblor, un distendido
detenimiento lo estiró de muerte.
Era la muerte viva de la vida,
era la muerte muerta de la muerte.)

2

EL TORO

¡A ese toro! ¡A ese toro! Era el verano,
un alba en fiesta de limón. Cantaban
todavía en mi sangre las hogueras,
atreviéndose el mar enamorado
(¡ay, ay, el mar, el mar!) hasta los tréboles
más íntimos y ocultos de los ríos.
¡A ese toro! ¡A ese toro!

—Yo me había
de casar ese día.
—Yo, irme de viaje.
—Estrenar barco azul y cielo la bahía.
—La madre, un niño.
—La novia, un nuevo traje.
—Yo tenía ese día que cantar.
—Yo que cantar, matar.
—Yo, que reír, huir.
—Y yo que huir, quedar
en ese día.
—Pero tú y yo, llorar.
—Tú y yo, llorar.
—Tú y yo, llorar.

¡A ese toro! ¡Qué grito! ¡Qué tremenda
provocación de lidia en descampado!
¡Qué sacudida al monte de mis hombros,
qué explosiones al filo de mis astas!

¡A ese toro! Le entierren entre cardos la lengua,
después que lo lancinen hasta en los ojos picas,
banderillas de pólvora le empujen en los huesos
y una espada candente le hinque el testuz. La sombra
jamás para su arrastre sin fin le suba límites.
Gire ese toro, gire, abierto, desollado,
fijo sobre una mar de sangre navegable.

Pero de golpe me arranqué soldado.

VOZ 2

Soldado y marinero,
toro en bandera,
ni la muerte te puso
contrabarrera.
¡Luna valiente!
¡Qué dolor de balazos
para mi frente!

Furia ciega, a cornadas,
sin miramiento.
Toro de espuma y ola,
de trigo y viento.
Ansias mortales.
Vida que se me llevan
los arenales.

Tú bramando, bregando,
toro de hombría.
Yo, mordiendo la tierra
que te mordía.
De parte a parte,
mis triste matadores
para matarte.

Negro mar sorprendido,
toro enfrentado,
y un jinete ya polvo
deshabitado.
Luna ultrajada,
y un potro ya sin nadie,
de madrugada.

VOZ 1

Se abrió y creció la tierra ensangrentada,
la pobre tierra de alto nombre: madre;
la tierra natural, la tierra honrada.
—Quiero gritar.
Y se detuvo el aire.
—Hervir.
Y se le heló la lengua al agua.
—Bramar.
Y el viento se desplomó en sauce.
—Ver.
Y empalidecieron las ventanas.
—Correr.
Y ya las calles no eran calles.
—Llorar.
Y el río no corría lágrimas.
—Morir.
Y era la muerte inhabitable.
—Maldecir.
Y eran plomo las gargantas.
—Matar.
Y hasta las vidas ya eran fuentes de sangre.

El ancho toro abierto tundido coleaba,
arrancándose en troncos de varones y árboles.
Nunca vi un corazón crecer más encumbrado,
ni a un toro en pleamar verterse en pleamares.

Yo levanto mi angustia, mi aliento encanecidos,
nostálgicos de balas y sueños capitanes.
Diez muertes que brotaran mis diez dedos serían
pocas contra la muerte de una luna tan grande.

(Aquí ya ni a la piedra de la orilla
la consideró piedra la creciente.
Era una sangre blanca y desmedida
la que entró helando el cauce de la muerte.
Le dolían subir, pies sobre ella,
cosas que juntas estuvieron siempre:
un caballo sin hombre, una veleta
sin torreón, un álamo sin nieve,
una boca sin ojos, una cuna
sin niño chico, una mujer sin vientre,
marismas sin ganados, olivares
ya sin montes, sin viento y sin aceite.)

VOZ 3

Me rompe oírte y mata verte
toro de cólera y de luz,
amenazado hasta la cruz
por ese estoque de la muerte.
Me arranco todo de la lana,
me quito ovejas y panales,
en ti me desemboco y me destilo
reciente, neto de mañana,
descarnado de filo,
voluntario de erales.

Ese violento hilo
que me agarra a la tierra y que me engrana
a sus raíces, entreabriendo
voz de maíz a mi costado,
de amapola a mis dientes,
se me descuaja de un tirón, poniendo
sobre tus hombros un soldado
de leales simientes.

Va en mi sueño el ganado
y la cigarra de la era;
va el tejo de la honda pajarera
con el glacial cuchillo cachicuerno;
la relampagueadora
segadora guadaña;
va también con mi vida a la trinchera
la dulzura de un tierno
recental escondido de mi entraña.

VOZ 1

Y así te vi subir en primavera
toro-laurel, toro-laurel de invierno,
toro-laurel de otoño y de verano.

VOZ 3

Nunca hubo fiera más florida,
nunca más verdes capiteles,
ni cielo que intentara con la mano
tapar más ancha herida
de laureles, laureles y laureles.

VOZ 1

Nunca la vida fue más vida.

VOZ 3

Los hombres, más hermosos ni más fieles.

(Aquí el toro empezó a sufrir de sombra,
de soledad y casi de abandono.
Un frío extraño le invadía el ruedo,
un calculado sol lo declinaba.)

EL TORO

¡A ese toro! ¡A ese toro! ¡Quién dijera
que se intentara al mar ver en derribo;
la luna, atado el cuello, rebotando,
roja, de peña en peña, descornada!

¡Ay, quién me aguantaría, sin clavarse
una aguja en los ojos, ver por tierra
a la pasión humana enfurecida;
descoyuntados contra un olmo seco
la paz con el amor, enamorada!

¡A ese toro! ¡A ese toro! No eran pasos
los que se me iban yendo por las vértebras,
eran cuerpos sin luz que se me hundían
en los hoyos abiertos de la sangre.
Un acoso sin fin hacia un silencio,
hacia un urgido cráter de la muerte,
hacia un precipitado de la nada.

(Dijo, y, al parecer, extendió inerte
su piel sobre una mar ensangrentada.)

3

(Y entró el tiempo en el tiempo de los ayes:
—¡Ay! (Portalazos en el mar.) ¡Ay! ¡Ay!
—¡Ay! (Por las torres aterradas.) ¡Ay!
—¡Ay! (Resplandores repentinos.) ¡Ay!
—¡Ay! (Por las alacenas y los pulsos.)
—(Por los subsuelos sin salidas.) ¡Ay!
—(Por las conciencias y la noche.) ¡Ay!
—¡Ay! (Juramentos y descargas.) ¡Ay!
—(Mofa y mal vino sin cuartel.) ¡Ay! ¡Ay!
—(Cunas al vientre de los pozos.) ¡Ay!
—(Por los relojes trascordados.) ¡Ay!
—¡Ay! (Por los hospitales sin heridos.)
—¡Ay! (Piquetes.) ¡Ay! (Llaves.) ¡Ay! (Cerrojos.)
—¡Ay! (Manteles.) ¡Ay! (Sillas solas.) ¡Ay!
—(Zanjas y zanjas.) ¡Ay! (Pálidos muros.)

EL TORO

¡Ay! *(Soledad.)* ¡Ay! *(Jaramagos.)* ¡Ay!

VOZ 2

(desde el río.)

La tarde va de huida por escaleras granas,
y por la mar un toro, desvanecido, a rastras,

bajo un redoble mustio de espumas y retamas.
Sube mi sangre, niño, del valle a la montaña.

En el principio eran las alas...

VOZ 1

(desde lejos.)

Yo me dejé olvidados los ojos en mi casa;
la voz, perdida y sola sobre provincias altas.
Quiero para morirme mis ojos, mi garganta.
¿No ves que ya me alejan a tumbos esas aguas?
Quita mi muerte, niño, de estas tierras extrañas.

En el principio eran las alas...

VOZ 3

Amigos: ya las piedras y los cardos me llaman.
Premeditadamente, la sombra pica en calma
los materiales hoyos y dientes de sus ansias.
¡Ay, qué retardo y fría lentitud de mortaja!

En el principio eran las alas...

(El toro aquí se fue doliendo
de punzadoras alambradas,
de patios duros donde hasta el sol era
un ojo agónico, entreabriendo
sobre tantas volcadas
flores, un lagrimal de olvido y cera.)

VOZ 3

Que avisen pronto a mi casa.
Tengo que arar de madrugada.

Varón, varoncito grande.
Que a él no le digan que lo saben.

Paloma revoladora.
¡Aire, que vuela ya la sombra!

Mordidos suelos helados.
Tengo que hablarle pronto al campo.

Vara de nieve en los huesos.
...que conversar con el almendro.

Sangre que ni cama tienes.
...gavillar ramos de laureles.

Ni dormir ni despertarse.
Adonde quieras tú llevarme.

Pena de torre y ventanas.
Éramos diez, nueve me faltan.

Ni va la arena ni el árbol.
¿Es que no hay mar para los barcos?

Fiebre de luz, alta fiebre.
¿Es que la mar ya ni se mueve?

¡Ay toro de desvarío!
¿Es que no tengo ya ni amigo?

Toro de locura y aire.
¿Es que no tengo ya ni sangre?

Toro de martirio y sueño.
¿Es que no tengo ya ni cuerpo?

Toro de silencio y alma.
¿Es que no tengo ya esperanza?

Toro de muerte y abandono.
¿Es que no tengo ya ni toro?

¿Es que no tengo ya ni toro?
¿Es que no tengo ya ni toro?

(Aquí el toro gritó, crujió tan fieramente,
como si con garganta de monte, si con lengua
de borrasca o con pozos de truenos se pudiera.
Tan herido y tan duro, que hasta en el río exánime
tembló helado papel la cara de la muerte,

subiendo a torrenciales auroras los olivos
y a festones de luz el mar enguirnaldado.
Fue como si de pronto un boreal augurio,
una alegre catástrofe sin fin se derramara
bajo los delirantes abrazos de los puentes.)

CÁRMENES

1

Poeta, por ser claro no se es mejor poeta.
Por oscuro, poeta –no lo olvides–, tampoco.

2

Precisión de lo claro o de lo oscuro:
poeta dueño, a caballo, dominante.

3

¡Oh poesía del juego, del capricho, del aire,
de lo más leve y casi imperceptible:
no te olvides que siempre espero tu visita!

4

Creyeron que con armas,
unos tristes disparos una aurora,
iban –¡oh Poesía, oh Gracia!– a asesinarte.

5

Nadie podrá quitarnos
a la gente de España,
Garcilaso, aquel tuyo
«dolorido sentir».

6

Pensaba el árbol pleno,
viéndose las raíces
de fuera, doloridas,
pensaba en lo imposible
de enterrarlas de nuevo
en nueva tierra...
Y se quedó suspenso,
con su mudo dolor por todo canto.

A Gonzalo Losada

1

Púrpura nevada

...púrpura nevada...
GÓNGORA.

Hubo un tiempo que dijo, que decía:
Más blanca que la nieve, prima mía.
Rosa de Alberti, rosa chica, breve,
níveamente pintada.
Hoy diría: Más roja que la nieve,
ya que la sangre es púrpura nevada.

Así el valor, también así el espanto
por la aridez del lagrimal, perdida;
así también el no saber a cuánto,
a qué precio se paga ya la vida;
a qué dinero,
el mirarte y no verte,
si anda el morir a más que bajo cero
y es púrpura nevada hasta la muerte.

Vientos purpúreos, vientos de gangrena
por esteparias, congeladas mares
y los bosques transidos.
Es la Pascua purpúrea de la pena,
las tristes Pascuas militares
de los nevados desaparecidos.

Se empurpura la fe, que se entumece
de nevada sonora,
de oculto, álgido trigo empurpurado.
Noche de héroe, encandecida, crece,
denominada y denominadora,
y se oye al mundo alzarse de costado.

2

PUERTAS CERRADAS

No son ángeles ya, no son aquellos
de los siete relámpagos asidos
entre las siete albas plumadas velas.
Son velados de historia, pedregosos
de corazón, sin lagrimal ni fuente
que le susurre el ala de un recuerdo.
No son ángeles ya, son pobres hombres.

Éste es el escabel, el seco filo
inicial de la entrada, la cuchilla
para los pies, que tienden los umbrales.
Cuida no se te enrede un cabo triste
de sangre muda, que penosamente,
mientras tú subes, baja la escalera.
Aquí van a llamarte por tu nombre,
van a reconocerte inviernos labios,
nieves gargantas, amarillos lenguas,
paralizados yelos paladares.
Van a nombrarte entumecidas sílabas.

Lechos volcados, ay, con ese hoyo
tan tibio aún, tan tibio, que la mano
si se atreviera, de dulzura y río,
se desazularía, desnevada.
Alacenas del robo, donde el crimen
sin lentitud, desprevenidos trajes
volvió a los cielos del jardín, mi hija.

¿De quién, de quién estos vestidos huecos,
esas mangas sin brazos, esas prendas
ausentes del respiro de una casa,
y ese desescombrado aullar difunto
por las aristoloquias moribundas?
Sin pronunciarlo, han dicho ya tu nombre.

Puedes gritar, desgañitarte a lloros,
hasta erguir, llanto a llanto, grito a grito,
tanta desmantelada, hermosa vida.
Ya el viento nos espera en los adarves,
desde donde la mar ilesamente
planta de azul sus aterrados límites.
¿Quién más que el mar, quién más que la mar alta
puede poner caballo a la desdicha
y una daga de sal entre sus dientes?

Ante nosotros, las cerradas puertas.

Éste es el escabel, el seco filo
inicial de la entrada, la cuchilla
para los pies, que tienden los umbrales.
Cuida...

3

Elegía a una vida clara y hermosa

(DEODORO ROCA)

Yo sé a quién preguntarle, a quién decirle
cantos, cosas, razones de su vida;
por qué altura de álamo medirle,
por qué piedra indagarle
la densidad de agua conducida,
remansada en su río;
por qué estrella llorarlo sin llorarle,
por qué decirle nuestro y por qué mío.

Yo sé cómo llenar ese vacío
que deja un árbol ya desarbolado,
una roca tocada de inclemencia,
una hundida creciente,
la luz de un resplandor arrebatado.

Sueñe el bosque su verde trasparencia,
su voz el mar, la cumbre alta su frente,
la llama el corazón de su pasado.

Como se pierde un barco iluminado
entre dos tristes selvas litorales;
se extermina de pronto una arboleda,
un hombre verdadero;
así sus claras ondas fraternales,
lo que descuajó el hacha y que nos queda:
libre, un claro sendero,
difícil y advertido de señales.

Mudos, los largos llantos funerales.
Alta estrella, mas no para loores.
Alto río, mas no para la escoria.
Árbol alto, mas para bien movido.
¡Arded, bullid, sonad, laboradores!
La vida clara, hermosa la memoria,
hermoso su sentido,
claro su ejemplo y claros sus deudores.

(Remontando el Paraná,
primavera de 1942.)

TIRTEO

1

Tú eras cojo, Tirteo. Así estos cantos,
a los que faltan pies, pero no el alma.

2

¿Qué tienes, dime, Musa de mis cuarenta años?
—Nostalgias de la guerra, de la mar y el colegio.

3

Vi marcharse mi Musa en traje de soldado.
—Ahora, ten esta voz. Si la sostienes,
la verás verdecer, luego, en las nubes.

—¡Oh Musa!...

Una humareda
me la quitó dejándome este acento.

4

Musa mía, te vi, ya entre dos luces,
pisoteada, magullada, herida,
torcer, por las afueras de la muerte,
al campo solo, al mundo solitario.

5

Triscaba Europa al borde de sus ríos
cuando fue arrebatada a los infiernos.

6

¡Ay, raza, de qué raza, de qué madre!

7

¿En dónde está ese vientre, triste cueva,
ese varón, aquel instante oscuro?

8

¿Era hombre, era hembra, fue un momento?
¿Es que desvariaban, desasidas,
fuera de sí, sangrantes, las entrañas
de la tierra? ¿Es que pudo
desgajársele al Tiempo un sólo grano
para ese parto oblicuo de las sombras?

9

En el día de la ira,
las bocas de las madres bajarán a los vientres.

10

Habrá matriz gozosa que conciba
una bala, un puñal premeditados.

11

Yo te defenderé.
                                    —¿De qué manera,
si tú mismo te arrancas,
cada vez que eso dices,
pálido osado, un diente?

12

¡Adelante! ¡Adelante!
(Y eran muertos
los que sólo en sus nieblas le seguían.)
¡Adelante!
(Desiertos y desiertos.)
¡Adelante!
(Y su voz
era ya de los muertos que se la repetían.)

13

Tú eres la hija de la nieve humana.
Y hay que ser fuego puro,
alta llama continua,
para ser merecida brasa tuya.

14

Una bala y dos metros de tierra solamente
—les dijeron.
Y el campo
dio en vez de trigo cruces.

15

El soldado en la nieve pensó que era palmera
y que se le llenaban de dátiles los brazos.

16

Y aquel alférez del desierto iba
sonámbulo entre sombras congeladas de pinos.

17

¿Qué es un niño en la nieve? ¿Qué es un niño
llorando, solo, en busca de su aldea?

18

Hay muertos cuya paz merecería
ser quebrantada todas las auroras.

19

Yace el soldado. Un perro
sólo ladra por él furiosamente.

20

Yace el soldado. Vino
a preguntar por él un arroyuelo.

21

Yace el soldado. El bosque
baja a llorar por él cada mañana.

22

Yace el soldado. Un niño
vino en el aire a hablarle de su aldea.

23

Yace el soldado. Nadie
pudo saber su nombre. Y le pusieron
el de un pueblo caído en un barranco.

24

Párate aquí, vilano. Detente, vientecillo.
¿Es alguno capaz de recordarme?

25

Yo fui soldado, huesos
para la encarnadura de la patria.

26

No tengo patria. Puedes
sembrar mis huesos junto a cualquier río.

27

Morir al sol, morir,
viéndolo arriba,
cortado el resplandor
en los cristales rotos
de una ventana sola,
temeroso su marco
de encuadrar una frente
abatida, unos ojos
espantados, un grito...

Morir, morir, morir,
bello morir, cayendo
el cuerpo en tierra, como
un durazno ya dulce,
maduro, necesario...

28

Pensé que al toque de diana iban
regresando los hombres a su alma.

29

¡Qué tristeza cantar mordiéndose los dientes,
poniendo cabezal a las palabras,
cincha al libre latido de la lengua,
cedazo al estruendo de la sangre!

30

Suéltate, boca, pues que ya no puedes
sufrir más los cerrojos que te han puesto.

31

Días en que la frente es una piedra
anhelante de herir en mil pedazos.

32

¿Y por qué si yo oculto en el pecho una espada
no he de ocultarla dentro del pecho de los otros?

33

Tal vez llore algún día
estas bridas que aquí matan mis versos.

34

Tú eras la Poesía.
Recién parida, fuerte, dando saltos,
plantando el sol sobre una tierra insigne.
¿Qué fue de ti, radiosa trasplantada?

35

En tus manos el mirto era tan verde
que nunca creció fuego
que hablara más lozano.

36

Fue a ver su casa aquella tarde. El lecho
donde el amor oyera
el alba tantas veces,
desmantelado, hundido,
entre montes de arena.
Todavía la lámpara,
la grieta del espejo,
la mesa rota, el libro...
Y a la puerta, un soldado
ausente, que cantaba:

—Aunque le tire la mar,
el barco que anda en la tierra,
en tierra se ha de quedar.

37

¡Oh, tapadme los ojos! ¡Aún más!
Y seguí viendo
a través del espanto helado de las manos.

38

Sí, Baudelaire, yo fui poeta de combate...
pero de esos del mar y el verso como puño.

39

¿Será posible un odio en carne viva
los años y los años?

40

¿Ha pasado ya un siglo? Y no han pasado
–¡oh llanto!– ni siquiera 2.000 días.

CANCIÓN A LA JUVENTUD

Esos relámpagos y flores,
esas centellas desasidas
que en derramados resplandores
lucen ganadas o perdidas.

Venas abiertas, duras fuentes
donde anegar al enemigo;
soles helados o calientes,
mas siempre soles para el trigo.

Eternidad de los doblados
por esa luz de una promesa;
navíos ya desamarrados,
brava la mar, mas la fe ilesa.

Diéranme a mí nuevos pulmones
con que arbolar las multitudes,
y un oleaje de canciones
de juventud, de juventudes.

A LA PINTURA

Poema del color y la línea

(1945-1952)

A Picasso

1917

1

Mil novecientos diecisiete.
Mi adolescencia: la locura
por una caja de pintura,
un lienzo en blanco, un caballete.

Felicidad de mi equipaje
en la mañana impresionista.
Divino gozo, la imprevista
lección abierta del paisaje.

Cándidamente complicado
fluye el color de la paleta,
que alumbra al árbol en violeta
y al tronco en sombra de morado.

Comas radiantes son las flores,
puntos las hojas, reticentes,
y el agua, discos trasparentes
que juegan todos los colores.

El bermellón arde dichoso
por desposar al amarillo
y erguir la torre de ladrillo
bajo un naranja luminoso.

El verde cromo empalidece
junto al feliz blanco de plata,
mas ante el sol que lo aquilata
renace y nuevo reverdece.

Llueve la luz, y sin aviso
ya es una ninfa fugitiva
que el ojo busca clavar viva
sobre el espacio más preciso.

Clarificada azul, la hora
lavadamente se disuelve
en una atmósfera que envuelve,
define el cuadro y lo evapora.

Diérame ahora la locura
que en aquel tiempo me tenía,
para pintar la Poesía,
con el pincel de la Pintura.

2

Y las estatuas. En mi sueño
de adolescente se enarbola
una Afrodita de escayola
desnuda al ala del diseño.

¡Inusitada maravilla!
Mi mano y Venus frente a frente
con mi ilusión de adolescente:
un papel y una carbonilla.

Ante la forma, era mi estado
de pura gracia y de blancura,
peregrinante a la ventura,
libre, dichoso y maniatado.

Incontenible, aunque indecisa,
la línea en curva se dispara
como si un pájaro jugara
con el contorno de la brisa.

Cautivo al fin que lo promueve
y al negro albor que lo sombrea,
el claroscuro redondea
la cima exacta del relieve.

Y el azabache submarino
ciñe a la hija de la espuma,
fingida en yeso, luz y bruma
de carbón, goma y disfumino.

Nada sabía del poema
que ya en mi lápiz apuntaba.
Venus tan sólo dibujaba
mi sueño prístino, suprema.

Feliz imagen que en mi vida
dio su más bella luminaria
a esta academia necesaria,
que abre su flor cuando se olvida.

3

¡El Museo del Prado! ¡Dios mío! Yo tenía
pinares en los ojos y alta mar todavía
con un dolor de playas de amor en un costado,
cuando entré al cielo abierto del Museo del Prado.

¡Oh asombro! ¡Quién pensara que los viejos pintores
pintaron la Pintura con tan claros colores;
que de la vida hicieron una ventana abierta,
no una petrificada naturaleza muerta,
y que Venus fue nácar y jazmín trasparente,
no umbría, como yo creyera ingenuamente!
Perdida de los pinos y de la mar, mi mano
tropezaba los pinos y la mar de Tiziano,
claridades corpóreas jamás imaginadas,
por el pincel del viento desnudas y pintadas.
¿Por qué a mi adolescencia las antiguas figuras
le movieron el sueño misteriosas y oscuras?
Yo no sabía entonces que la vida tuviera
Tintoretto (verano), Veronés (primavera),

ni que las rubias Gracias de pecho enamorado
corrieran por las salas del Museo del Prado.
Las sirenas de Rubens, sus ninfas aldeanas
no eran las ruborosas deidades gaditanas
que por mis mares niños e infantiles florestas
nadaban virginales o bailaban honestas.

Mis recatados ojos agrestes y marinos
se hundieron en los blancos cuerpos grecolatinos.
Y me bañé de Adonis y Venus juntamente
y del líquido rostro de Narciso en la fuente.
Y —¡oh relámpago súbito!— sentí en la sangre mía
arder los litorales de la mitología,
abriéndome en los dioses que alumbró la Pintura
la Belleza su rosa, su clavel la Hermosura.

¡Oh celestial gorjeo! De rodillas, cautivo
del oro más piadoso y añil más pensativo,
caminé las estancias, los alados vergeles
del ángel que a Fra Angélico cortaba los pinceles.
Y comprendí que el alma de la forma era el sueño
de Mantegna, y la gracia, Rafael, y el diseño,
y oí desde tan métricas, armoniosas ventanas,
mis andaluzas fuentes de aguas italianas.

Transido de aquel alba, de aquellas claridades,
triste «golfo de sombra», violentas oquedades
rasgadas por un óseo fulgor de calavera,
me ataron a los ímprobos tormentos de Ribera.
La miseria, el desgarro, la preñez, la fatiga,
el tracoma harapiento de la España mendiga,
el pincel como escoba, la luz como cuchillo
me azucaró la grácil abeja de Murillo.
De su célica, rústica, hacendosa, cromada
paleta golondrina María Inmaculada,
penetré al castigado fantasmal verdiseco
de la muerte y la vida subterránea del Greco.
Dejaba lo espantoso español más sombrío
por mis ojos la idea lancinante de un río
que clavara nocturno su espada corredora
contra el pecho elevado, naciente de la aurora.

Las cortinas del alba, los pliegues del celaje
colgaban sus clarísimos duros blancos al traje
del llanamente monje que Zurbarán humana
con el mismo fervor que el pan y la manzana.
¡Oh justo azul, oh nieve severa en lejanía,
trasparentada lumbre, de tan ardiente, fría!
La mano se hace brisa, aura sujeta el lino,
céfiro los colores y el pincel aire fino;
aura, céfiro, brisa, aire, y toda la sala
de Velázquez, pintura pintada por un ala.
¡Oh asombro! ¡Quién creyera que hasta los españoles
pintaron en la sombra tan claros arreboles;
que de su más siniestra charca luciferina
Goya sacara a chorros la luz más cristalina!

Mis oscuros demonios, mi color del infierno
me los llevó el diablo ratoneril y tierno
del Bosco, con su químico fogón de tentaciones
de aladas lavativas y airados escobones.
Por los senderos corren refranes campesinos.
Patinir azulea su albor sobre los pinos.
Y mientras que la Muerte guadaña a la jineta,
Brueghel rige en las nubes su funeral trompeta.

El aroma a barnices, a madera encerada,
a ramo de resina fresca recién llorada;
el candor cotidiano de tender los colores
y copiar la paleta de los viejos pintores;
la ilusión de soñarme siquiera un olvidado
Alberti en los rincones del Museo del Prado;
la sorprendente, agónica, desvelada alegría
de buscar la Pintura y hallar la Poesía,
con la pena enterrada de enterrar el dolor
de nacer un poeta por morirse un pintor,
hoy distantes me llevan, y en verso remordido,
a decirte ¡oh Pintura! mi amor interrumpido.

Goya

La dulzura, el estupro,
la risa, la violencia,
la sonrisa, la sangre,
el cadalso, la feria.
Hay un diablo demente persiguiendo
a cuchillo la luz y las tinieblas.

De ti me guardo un ojo en el incendio.
A ti te dentelleo la cabeza.
Te hago crujir los húmeros. Te sorbo
el caracol que te hurga en una oreja.
A ti entierro solamente
en el barro las piernas.
Una pierna.
Otra pierna.
Golpea.

¡Huir!
Pero quedarse para ver,
para morirse sin morir.

¡Oh luz de enfermería!
Ruedo tuerto de la alegría.
Aspavientos de la agonía.
Cuando todo se cae
y en adefesio España se desvae
y una escoba se aleja.
Volar.
El demonio, senos de vieja.
Y el torero,
Pedro Romero.
Y el desangrado en amarillo,
Pepe-Hillo.
Y el anverso
de la duquesa con reverso.
Y la Borbón esperpenticia
con su Borbón esperpenticio.
Y la pericia
de la mano del Santo Oficio.

Y el escarmiento
del más espantajado
fusilamiento.
Y el repolludo
cardenal narigado,
narigudo.
Y la puesta de sol en la Pradera.
Y el embozado
con su chistera.
Y la gracia de la desgracia.
Y la desgracia de la gracia.
Y la poesía
de la pintura clara
y la sombría.
Y el mascarón
que se dispara
para
bailar en la procesión.

El mascarón, la muerte,
la Corte, la carencia
el vómito, la ronda,
la hartura, el hambre negra,
el cornalón, el sueño,
la paz, la guerra.

¿De dónde vienes tú, gayumbo extraño, animal fino,
corniveleto,
rojo y zaíno?
¿De dónde vienes, funeral,
feto,
irreal
disparate real,
boceto,
alto
cobalto,
nube rosa,
arboleda,
seda umbrosa,
jubilosa
seda?

Duendecitos. Soplones.
Despacha, que despiertan.
El sí pronuncian y la mano alargan
al primero que llega.
Ya es hora.
¡Gaudeamus!
Buen viaje.
Sueño de la mentira.
Y un entierro
que verdaderamente amedrenta al paisaje.

Pintor.
En tu inmortalidad llore la Gracia
y sonría el Horror.

DELACROIX

El color como drama.
Como luz, la vehemencia.
Como línea, la urgencia
del rapto y de la llama.

Torres de sangre, abiertos
cielos convulsionados,
horizontes quemados
en ciudades de muertos.

Todo es furia y bandera,
estandarte aturdido.
Todo, mar y expandido
caballo a la carrera.

Sin rienda ni atalaje,
luna desguarnecida,
la Libertad, crecida,
cabalga el oleaje.

Pasión en movimiento,
pintor en arrebato.
Tu paleta, un retrato:
la elocuencia del viento.

A LA DIVINA PROPORCIÓN

A ti, maravillosa disciplina,
media, extrema razón de la hermosura,
que claramente acata la clausura
viva en la malla de tu ley divina.

A ti, cárcel feliz de la retina,
áurea sección, celeste cuadratura,
misteriosa fontana de mesura
que el Universo armónico origina.

A ti, mar de los sueños angulares,
flor de las cinco formas regulares,
dodecaedro azul, arco sonoro.

Luces por alas un compás ardiente.
Tu canto es una esfera trasparente.
A ti, divina proporción de oro.

SIGNOS DEL DIA

(1945-1955)

1

A LA JUNTA SUPREMA DE UNIÓN NACIONAL ESPAÑOLA

Ya estás, tú siempre estás. De tu garganta,
de tu largo estertor, de tu agonía,
se oye crecer, subir, saltar el día
que un nuevo toro de la luz levanta.

Lo que era llanto, ya no es llanto, canta.
Lo que es sombra, no es sombra, es alegría.
Lo que estrella sin rumbo, es norte, es guía,
claro valor, que a la tiniebla espanta.

Vienes. Nos llamas. Ya contigo vamos.
Ya somos otra vez, ya estás, ya estamos.
Si fuertes y uno aquí, tú allí más fuerte.

No te amanse la sangre que te acosa.
Rompe, arremete, empuja y, victoriosa,
levantarás la vida de la muerte.

2

Carta abierta a los poetas, pintores, escritores... de la España peregrina

A vosotros, hermanos, lejos de España, lejos
de su siempre cercano corazón, los consejos
—perdonad— de un poeta que para sí querría
recibir los que a todos buenamente daría.

Cuando después de tantos años de noche oscura,
de destrozada aurora presa en la dentadura
del más hambriento lobo que a España tocó en suerte;
cuando después de tanta pena, de tanta muerte,
de tanto umbroso y claro cómplice conocido,
de tantos derramados héroes, de tanto olvido;
pobres y errantes huesos lejos de ti arrojados,
vida y sueños de tuyos, de sin ti, desterrados;
cuando después de tantos después sin aparente
vislumbre de una estrella que rompa en el oriente,
¡oh hermanos de la patria distante!, se deshila
la fe del fatigado corazón que vacila,
escuchad, y el poeta nunca jamás se engaña:
si en España hay hogueras, son del pueblo de España.

Soplan vientos tenaces de lucha en nuestro suelo.
La llama arde en los llanos bajada desde el cielo
de la cumbre que al arduo guerrillero alimenta.
La castigada vida se desata en tormenta.
Siempre dije del ancho toro español sin ruedo.
El pueblo es ese toro que nunca tuvo miedo.
Y aunque roto y su sangre hoy miréis arrastrada,
zumba en él el empuje de una mortal cornada.

A nosotros, hermanos de ese toro en castigo,
de ese pueblo que un día enfrentó a su enemigo
como una clamorosa fiesta de valentía,
nos toca levantarlo para su nuevo día.

¡Oh poetas errantes, letras del mismo viento
de la lengua que mueve y habla en su pensamiento:
si hoy la palabra suya son las balas, las alas
de nuestros cantos lleven en sus puntas las balas!

¿Qué no podrá el poeta, su pluma delatora,
su rauda voz lo mismo que una ametralladora?
Un verso es un disparo y una copla ya el trueno
capaz de hundir la calma del cielo más sereno.
Y no penséis, poetas, que por cantar sencillo
el ruiseñor difícil se muere de amarillo.
Si el ruiseñor del pueblo se ahoga en las prisiones,
si en su clara garganta rebosan sus canciones
de libertad y en sangre va su vuelo teñido,
si herido se levanta, si canta perseguido,
¡oh poetas, oh hermanos de la palabra fuerte!
no cantar claro dándole la mano es darle muerte.

No por pasar los años lejos de ti se olvida,
España dura y dulce, que es tuya nuestra vida.
Todo te lo debemos, y no podemos darte
como pago la triste moneda de olvidarte.
Cuando estás acosada y los que prisionera
te venden, mantenidos por los perros de afuera;
cuando el lobo avariento, de militar vestido,
vive aún por la sangre de tu costado herido,
las plumas que se callen, el lápiz que no grite,
quien por ti no promueva, no proteste, no incite;
quien el fuego de hoy no prenda hasta mañana,
quien de espaldas soñando te espere a la ventana,
madre del sufrimiento, vieja y joven leona,
sientan en tu zarpazo tu ley que no perdona.
Porque no merezcamos su furor y ese día
de su libertad suba de claro y alegría,
¡oh errantes de la patria, oh del alba cercanos,
la conciencia sin sombra, trabajemos, hermanos!

3

A Pablo Neruda
después de tantas cosas

Era en el tiempo del clavel pausado,
del mar siempre subido en primavera.
Tiempo del corazón, el tiempo era
del corazón al bien enarbolado.

Fue luego el tiempo del clavel armado,
del mar ya en sangre roto y sin ribera.
Tiempo del corazón en tolvanera,
del corazón al mal desmantelado.

Cuando el calmo clavel saltó en espada,
en sangre el mar ya sin frontal ni freno
y el corazón en polvo sacudido,

tú, flor, fuiste la flor más señalada,
tú mar, el mar más amoroso y pleno,
tú, corazón, el más enardecido.

4

A Ilya Ehrenburg, en Buenos Aires

Volverte a ver es volver
a vernos dentro de España.
Es volver
a lo que nunca se ha ido,
a lo que no se nos fue.

Volverte a ver me ha traído
un dolor que nunca ha huido,
una alegría que ha sido,
aunque jamás se nos fue.

Te vas, apenas venido.
...Pero tú nunca has partido.
Por eso, volverte a ver
es volver
a lo que jamás se ha ido,
a lo que no se nos fue.

POEMAS DIVERSOS

(1945-1959)

Alberti y su hija Aitana, en 1948

Foto Gisèle Freund

1

Para Aitana

(9 de agosto de 1956.)

Aitana, niña mía, baja la primavera
para ti quince flores pequeñas y graciosas.
Sigues siendo de aire, siguen todas tus cosas
siendo como encantadas por una luz ligera.

Aitana, niña mía, fuera yo quien moviera
para ti eternamente las auras más dichosas,
quien peinara más luces y alisara más rosas
en tus pequeñas alas de brisa mensajera.

Aitana, niña mía, ya que eres aire y eres
como el aire y remontas el aire como quieres,
feliz, callada y ciega y sola en tu alegría,

aunque para tus alas yo te abriera más cielo,
no olvides que hasta puede deshojarse en un vuelo
el aire, niña Aitana, Aitana, niña mía.

2

A Pablo Rojas Paz

(1 de octubre, 1956)

Para la Rubia y Enrique Pablo,
en el día de su mayor dolor.

Te nos vas, Pablo, con la primavera.
En España te vi como soldado
de la palabra, el pecho levantado
y el encendido corazón afuera.

Pocos te vieron como yo te viera.
¡Qué dolor verte ahora derribado!
Pero en el aire flotará enterrado
tu corazón igual que una bandera.

Hoy por ti no me siento desterrado,
hoy que te vas en esta primavera,
puro y dulce en la luz, sin enemigo.

Pocos te vieron como yo te viera.
Si en España te vi como soldado,
allí estará tu corazón de amigo.

Tu corazón igual que una bandera.

3

Por encima del mar

Para Amparo Gastón y Gabriel Celaya

Amparo dulce y buen Gabriel, hermanos
por encima del mar, y por encima
de lo que tanto y tanto nos lastima,
cada día más míos, más cercanos:

Venid, llegad, cerrémonos las manos,
que un claro viento nuevo nos reanima
y hasta la sangre, en lo que fuera sima,
sube creciendo derramada en granos.

Se empinaron un alba los más yertos,
los más helados lívidos oscuros,
para que todo sepultura fuera.

Mas no están muertos los que estaban muertos
ni están vencidos los doblados muros
y está verde otra vez la primavera.

POEMAS DE PUNTA DEL ESTE
(1945-1956)

EL BOSQUE Y EL MAR

1

ESTOS RUMORES...

Estos rumores, estos
leves susurros conocidos
de cielos, hojas, vientos y oleajes
son mis aires mejores, ya felices
o confesadamente melancólicos.
Vuelvo a encontrarlos, vuelvo
a sentirlos tan míos
después de tan alegres y cansados
recorridos por tierras veneradas
que eran mi vida antigua,
la clara vida cuando mis cabellos
al sol volaban libres, sin temores.

Aquí están prolongados
en lamentos que fueron mi lenguaje,
en onduladas sílabas o en largas
conversaciones o en subido llanto.

Nada como sentirse comprendido,
enlazado, mezclado, arrebatado
por este misterioso idioma de los bosques,
de la mar, de los vientos y las nubes.
Ya es una sola voz, una garganta
sola la que susurra,
la que viene y se va rumoreando.
Uno el sonido del total concierto.

Vuelve el poeta al aire de sus aires.

2

¿QUÉ QUERÉIS?...

¿Qué queréis? Las nieves, los inviernos,
las brumas que disuelven los paisajes,
la lluvia triste para ser oída
tras los dobles cristales de una alcoba
están bien sólo para ser cantados
desde las costas donde todo es cielo,
mares de sol, ¡de sol!, luz infinita.

Allí yo siento el corazón, los ojos
allí casi cegados por la luz sólo miran,
allí me sube la palabra, el himno
allí me brota igual que si surtiera
de una templada fuente.

Dejadme allí, que allí yo seré el bueno,
el más dócil y dulce, el más oído.
No me forcéis las llaves de mi canto.
Él correrá sin sombra para todos.

3

TAL VEZ, OH MAR...

Tal vez, oh mar, mi voz ya esté cansada
y le empiece a faltar aquella trasparencia,
aquel arranque igual al tuyo, aquello
que era tan parecido a tu oleaje.

Han pasado los años por mí, sus duras olas
han mordido la piedra de mi vida,
y al viento de este ocaso playero ya la miro
doblándose en las húmedas arenas.

Tú, no, tú sigues joven, con esa voz de siempre
y esos ojos azules renovados
que ven hundirse, insomnes, las edades.

4

¡QUÉ SOLO ESTOY...

¡Qué solo estoy a veces, oh qué solo
y hasta qué pobre y triste y olvidado!
Me gustaría así pedir limosna
por mis playas natales y mis campos.
Dad al que vuelve, ¡por amor!, un trozo
de luz tranquila, un cielo sosegado.
¡Por caridad! Ya no me conocéis...
No es mucho lo que pido... Dadme algo.

RETORNOS DE LO VIVO LEJANO

(1948-1956)

1

Retornos de una tarde de lluvia

También estará ahora lloviendo, neblinando
en aquellas bahías de mis muertes,
de mis años aún vivos sin muertes.
También por la neblina entre el pinar, lloviendo,
lloviendo, y la tormenta también, los ya distantes
truenos con gritos celebrados, últimos,
el fustazo final del rayo por las torres.
Te asomarías tú, vejez blanca, saliéndote
de tus templadas sábanas de nietos y ojos dulces,
y mi madre a los vidrios de colores
del alto mirador que descorría
una ciudad azul de níveas sombras
con barandales verdes
resonados de súbito a la tarde
por los dedos que el mar secretamente
y como por descuido abandona en la brisa.

Saldría yo con Agustín, con José Ignacio
y con Paquillo, el hijo del cochero,
a buscar caracoles por las tapias
y entre los jaramagos de las tumbas,
o por la enretamada arboleda perdida
a lidiar becerrillos todavía con sustos
de alegres colegiales sorprendidos de pronto.
(Estas perdidas ráfagas que vuelven sin aviso,

estas precipitadas palabras de los bosques,
diálogo interrumpido, confidencias
del mar y las arenas empapadas.)
Reclino la cabeza,
llevo el oído al hoyo de la mano
para pasar mejor lo que de lejos
con las olas de allí, con las de allá,
chorreando, me viene. Oigo un galope
fatigando la orilla de castillos,
de bañadas ruinas y escaleras
con los pies destrozados en el agua.
Yo sé quien va, yo sé quien se desboca
cantando en ese potro negro de sal y espuma.
¿Adónde corre, adónde,
hacia qué submarinas puertas, hacia qué umbrales
de azul movido, hacia qué adentros claros,
en busca de un perfil, una compacta
forma, línea, color, relieve, música,
tangible, definida?
Quiere los arcos, busca los dinteles
que dan a los difíciles poblados sin neblinas,
armónicas comarcas, firmamentos precisos,
cielos sin nebulosas,
paraísos sin humo.

Llueve sin mar, sin mar, sin mar. Borrada
la mar ha sido por la bruma. Pronto
se llevará los bosques también, y ni estos troncos
tan posibles, tan fáciles,
cimbrearán de pie para decirme
que han muerto, que se han muerto
esta tarde de nieblas y de lluvia mis ojos.
¿Quién ve en lo oscuro,
quién pretende sombras,
quién concretar la noche sin estrellas?
Se murió el mar, se murió el mar, murieron
con él las cosas que llegaron. Quedan,
ya sólo quedan, ¿oyes?
una conversación confusa, un errabundo
coloquio sin palabras que entender, un temido,
un invasor espanto
a regresar sin ojos, a cerrarlos sin sueño.

2

RETORNOS DE LOS DÍAS COLEGIALES

Por jazmines caídos recientes y corolas
de dondiegos de noche vencidas por el día,
me escapo esta mañana inaugural de octubre
hacia los lejanísimos años de mi colegio.
¿Quién eres tú, pequeña sombra que ni proyectas
el contorno de un niño casi a la madrugada?
¿Quién, con sueño enredado todavía en los ojos,
por los puentes del río vecino al mar, andando?
Va repitiendo nombres a ciegas, va torciendo
de memoria y sin gana las esquinas. No ignora
que irremediablemente la calle de la Luna,
la de las Neverías, la del Sol y las Cruces
van a dar al cansancio de algún libro de texto.

¿Qué le canta la cumbre de la sola pirámide,
qué la circunferencia que se aburre en la página?
Afuera están los libres araucarios agudos
y la plaza de toros
con su redonda arena mirándose en el cielo.

Como un látigo, el 1 lo sube en el pescante
del coche que el domingo lo lleva a las salinas
y se le fuga el 0 rodando a las bodegas,
aro de los profundos barriles en penumbra.

El mar reproducido que se expande en el muro
con las delineadas islas en breve rosa,
no adivina que el mar verdadero golpea
con su aldabón azul los patios del recreo.

¿Quién es este del cetro en la lámina muerta,
o aquel que en la lección ha perdido el caballo?
No está lejos el río que la sombra del rey
melancólicamente se llevó desmontada.

Las horas prisioneras en un duro pupitre
lo amarran como un pobre remero castigado
que entre las paralelas rejas de los renglones
mira su barca y llora por asirse del aire.

Estas cosas me trajo la mañana de octubre,
entre rojos dondiegos de corolas vencidas
y jazmines caídos.

3

Retorno de una mañana de primavera

Quizás con igual número, con la misma incontable
numeración de olas que desde el nacimiento
de tu divina espalda azul has conmovido,
me llamas resonando,
reventando tu frente de espumas en la orilla
donde mi luminoso corazón miró siempre,
mar mío, sobre ti soplar la primavera.

Desde tantas angustias sin eco, desde tantos
días iguales, noches de un mismo rostro, desde
las similares cuevas de cada hora, es dulce
no ofrecer resistencia a tu verde llamada.

¿Qué me abres, qué rotos
puros y antiguos arcos blanquísimos? ¿Qué esbeltas
columnatas tranquilas, finos fustes tronchados,
qué playeros castillos sin nadie me levantas?
Ausentes de rumores callan las brisas, muda
la arena de los ágiles pies está, y silenciosos
de la desnuda siesta del amor los pinares.
Deja a mi corazón llenarlos de alegría.

Desciende, niña mía, de las torres. Tú eres
mi hermana, sí, mi hermana. La más pequeña. Vamos,

descalzos por las rocas, en los presos olvidos
del agua, en sus dorsales
osamentas, sin miedo
contra los insufribles moluscos obstinados.

Persígueme en las libres afueras de las olas.
Es la edad en que el viento sueña en doblar al viento.
Llévame, ciegamente victoriosa, ceñida
tu cabeza de algas, hacia los ondulados
linderos que aureolan los blancos retamares.

¿Quién no puede, escondido,
desde los trasparentes alertas en las dunas,
mirar, hermana mía, las cosas que otros ojos
por oscuros no vieron?

¿Quién me veda poblarte, hoy a tanta distancia,
las playas de aquel día, de aquel largo poniente,
con el recién subido potro del mar llevando
la primavera alzada en su borrén de espumas?

Mucho has llorado, hermana, para que yo no pueda
llenarte las orillas de pasos venturosos,
de columpiadas flores la rota arquitectura
y de un amor las copas jubilosas del aire.

Recibe lo que el mar me trajo esta mañana
y suplícale siempre para mí sus retornos.

4

Retornos de un día de cumpleaños

(J. R. J.)

Subí yo aquella tarde
con mis primeros versos
a la sola azotea
donde entre madreselvas y jazmines
él en silencio ardía.

Con Juan Ramón Jiménez. Buenos Aires, 1949

Foto Attilio Rossi

Le llevaba yo estrofas
de mar y marineros,
médanos amarillos,
añil claro de sombras
y muros de cal fresca
estampados de fuentes y jardines.
Le llevaba también
tardes de su colegio,
horas tristes de estudio,
mapas coloreados,
azul niño de atlas,
pizarras melancólicas,
blancas del sufrimiento de los números.
Subía yo este ramo
de naturales, tiernas,
alegres, breves cosas sucedidas,
con el mismo temblor
de árbol sobrecogido
que en un día de fiesta
me cubrió cuando quise
llegar al pararrayos de la torre.
Estaba él derramado
como cera encendida en el crepúsculo,
sobre el pretil abierto
a los montes con nieve perdonada
por la morena mano
de junio que venía.
Hablamos con vehemencia
de nuestro mar, lo mismo
que del amigo ausente
a quien se está queriendo
ver de un momento a otro
después de muchos años.
Cuando se entró la noche
y apenas le veía,
era su opaca voz,
era tal vez la sombra
de su voz la que hablaba
todavía del mar,
del mar como si acaso
no fuera a llegar nunca.
¡Oh señalado tiempo!

Él entonces tenía
la misma edad que hoy,
dieciséis de diciembre,
tengo yo aquí, tan lejos
de aquella tarde pura
en que le subí el mar
a su sola azotea.

5

Retornos de un día de retornos

Algún día quizás, seguramente, alguien
(alguien a quien siquiera pueda ofrecer tal nombre)
se acordará de mí pensándome tan lejos
y dirá lo que yo, si hubiese retornado.

Aquí estás, ya has venido, con más noche en la frente.
Llegas de caminante, de romero a tu patria.
Los lugares que hiciste, las horas que creaste,
pasados todavía de tu luz y tu sombra,
salen a recibirte.

¿Qué tienes?, te pregunta primero la azotea
desde la que miraste tantas veces morirse
con la noche las piedras del Escorial, las cumbres
rodadas de otros nombres,
otras nieves y ocultas ramas que te habitaron.

Algo quisieras tú decirte al verte, pero
sabes bien que el arroyo
que corre por tu voz nunca ha de repetirse,
que a tu imagen pasada no altera la presente.

Entra, sé el visitante de tus propias alcobas,
el viajero lejano de tus mismos salones,
el huésped melancólico, errabundo en tu casa.
Estos son tus amigos junto a la chimenea.
Tú no faltas en medio con un libro en la mano.
Te escuchan. En los ojos
de algunos ya es su muerte la que te está atendiendo.

Mira tu lecho. Es ése.
Dormido, en él estás, en él, aunque no hay nadie,
aunque de la almohada se haya escapado el sueño.
Todavía un vestido sin esperanza espera
llenarse de tus pulsos para seguir andando.

Asómate un instante. Tus alegres cocinas
aún guardan el rescoldo de aquel último fuego.
Los platos te contemplan desde los anaqueles
y en el vasar los finos cristales de colores.
Contra el muro, aclarada,
flauta azul, se desvive
la minúscula sombra del precioso canario.
Al dejar el vestíbulo,
ya no tienes más ámbito que el de los escalones
que uno a uno descienden a las viejas aceras,
ni más dulce consuelo que perderte invisible,
peregrino en tu patria, por sus vivos retornos.

6

Retornos del amor en una azotea

Poblado estoy de muchas azoteas.
Sobre la mar se tienden las más blancas,
dispuestas a zarpar al sol, llevando
como velas las sábanas tendidas.
Otras dan a los campos, pero hay una
que sólo da al amor, cara a los montes.
Y es la que siempre vuelve.

Allí el amor peinaba sus geranios,
conducía las rosas y jazmines
por las barandas y en la ardiente noche
se deshacía en una fresca lluvia.

Lejos, las cumbres, soportando el peso
de las grandes estrellas, lo velaban.

¿Cuándo el amor vivió más venturoso
ni cuándo entre las flores
recién regadas fuera
con más alma en la sangre poseído?

Subía el silbo de los trenes. Tiemblos
de farolillos de verbena y músicas
de los kioscos y encendidos árboles
remontaban y súbitos diluvios
de cometas veloces que vertían
en sus ojos fugaces resplandores.

Fue la más bella edad del corazón. Retorna
hoy tan distante en que la estoy soñando
sobre este viejo tronco, en un camino
que no me lleva ya a ninguna parte.

7

Retornos del amor en los vividos paisajes

Creemos, amor mío, que aquellos paisajes
se quedaron dormidos o muertos con nosotros
en la edad, en el día en que los habitamos;
que los árboles pierden la memoria
y las noches se van, dando al olvido
lo que las hizo hermosas y tal vez inmortales.

Pero basta el más leve palpitar de una hoja,
una estrella borrada que respira de pronto
para vernos los mismos alegres que llenamos
los lugares que juntos nos tuvieron.
Y así despiertas hoy, mi amor, a mi costado,
entre los groselleros y las fresas ocultas
al amparo del firme corazón de los bosques.

Allí esta la caricia mojada de rocío,
las briznas delicadas que refrescan tu lecho,

los silfos encantados de ornar tu cabellera
y las altas ardillas misteriosas que llueven
sobre tu sueño el verde menudo de las ramas.

Sé feliz, hoja, siempre: nunca tengas otoño,
hoja que me has traído
con tu temblor pequeño
el aroma de tanta ciega edad luminosa.
Y tú, mínima estrella perdida que me abres
las íntimas ventanas de mis noches más jóvenes,
nunca cierres tu lumbre
sobre tantas alcobas que al alba nos durmieron
y aquella biblioteca con la luna
y los libros aquellos dulcemente caídos
y los montes afuera desvelados cantándonos.

8

Retornos de una sombra maldita

¿Será difícil, madre, volver a ti? Feroces
somos tus hijos. Sabes
que no te merecemos quizás, que hoy una sombra
maldita nos desune, nos separa
de tu agobiado corazón, cayendo
atroz, dura, mortal, sobre sus telas,
como un oscuro hachazo.
No, no tenemos manos, ¿verdad?, no las tenemos,
que no lo son, ay, ay, porque son garras,
zarpas siempre dispuestas
a romper esas fuentes que coagulan
para ti sola en llanto.
No son dientes tampoco, que son puntas,
fieras crestas limadas incapaces
de comprender tus labios y mejillas.
Han pasado desgracias,
han sucedido, madre, verdaderas
noches sin ojos, albas que no abrían
sino para cerrarse en ciega muerte.

Cosas que no acontecen,
que alguien pensó más lejos,
más allá de las lívidas fronteras del espanto,
madre, han acontecido.
Y todavía, por si acaso hubieras,
por si tal vez hubieras soñado en un momento
que en el olvido puede calmar el mar sus olas,
un incesante acoso,
un ceñido rodeo
te aprietan hasta hacerte
subir vertida y sin final en sangre.
Júntanos, madre. Acerca
esa preciosa rama
tuya, tan escondida, que anhelamos
asir, estrechar todos, encendiéndonos
en ella como un único
fruto de sabor dulce, igual. Que en ese día,
desnudos de esa amarga corteza, liberados
de ese hueso de hiel que nos consume,
alegres, rebosemos
tu ya tranquilo corazón sin sombra.

9

RETORNOS DE LA DULCE LIBERTAD

Podías, cuando fuiste un marinero en tierra,
ser más libre que ahora,
yéndote alegremente,
desde las amarradas comarcas encendidas
de tu recién nacido soñar, por los profundos
valles de huertos submarinos, por las verdes
laderas de delfines, sumergidos senderos
que iban a dar a dulces sirenas deseadas.

Podías, bien podías entonces, bien podías,
sin lágrimas inútiles, sin impuestas congojas,
viajar, llenos de viento los labios, con un golpe
de abierta luz en medio del corazón, bien alta
la valerosa vida cayendo de tu frente.

¿En dónde las fronteras entonces, ese miedo,
ese horror a los límites,
ese cerco que escuchas avanzar en la noche
como un triste mandato que ha de cumplirse al alba?

Libertad, dulce mía,
por muy niña que fueses,
por más chicos que fueran tus tiernos pasos, dime,
contéstame si aún tus pequeños oídos
me conocen: ¿No intentas, fugitiva y cantando,
retornarme a tus libres comarcas venturosas?
¿Quién te encarcela, dime? Di, ¿quién te pone grillos?
¿Quién te esposa las alas y quién, dime, cerrojos
clava en tu lengua y sombras pone sólo en tus ámbitos?

Libertad, no me dejes. Vuelve a mí, dura y dulce,
como fresca muchacha madurada en la pena.
Hoy mi brazo es más fuerte que el de ayer, y mi canto,
encendido en el tuyo, puede abrir para siempre,
sobre los horizontes del mar nuestra mañana.

10

RETORNOS DE NIEBLA EN UN DÍA DE SOL

I

Perros, dementes míos, dulces y hermanos, perros,
párvulos imposibles de tontos y aplicados.
Hoy no eres tú, Centella, andaluza y atlántica,
del colegio y las horas, hurtadas a la Física
o al Latín, en las dunas frente al mar y las piedras
de los castillos. Hoy
no eres tampoco tú, Yemi, la enceguecida
de lagartos feroces entre los biselados
de la sal, ni tampoco
aquel Jazmín angélico, ni Tusca misteriosa,

ni Muki ni esos perros
que desconozco aún pero sé que me buscan
sabiendo que en la casa del buen poeta siempre
hay un mantel y un plato junto a un vaso de agua.

Bajo este sol me irrumpe, como recién urdida
por la punta fulmínea de un rayo, la más bella,
la más valiente y grácil, lineal y armoniosa,
la que llenó mis días peligrosos
y las cuevas sin sueño de mis noches terribles
con el inmenso aroma de su flor plateada.

Vienes herida, Niebla, de escombros y de hambre,
como un pobre soldado perdido que anduviera
anhelando en sus ojos preguntar si la muerte
fue leal con sus otros compañeros.
Déjame que te limpie la sangre en estos bosques
y te lleve despacio a ver el mar tranquilo.

II

Éste es el mar que acaso tú no tuviste tiempo
de comprender. Ahora
míralo, Niebla, y húndete
en el innumerable azul de su hermosura.
Levanta tus orejas llovidas como hojas
y escucha lo que quiero con amor responderte.

III

Habrás pensado, Niebla,
que te dejé olvidada
por aquellas bahías y pueblos desventrados.
Que quise que la muerte
con sus negros retumbos
fuera la imagen última
que guardaran tus ojos solitarios al irme.
Habrás pensado, Niebla,
que me fui sin quedarme,
sin que mi corazón corriera desolado
con las puertas abiertas,

tundidas por el viento,
repitiéndote a gritos:
–Ésta es tu casa, Niebla,
tus paredes de siempre,
el hogar que elegiste en una noche helada
para hacerlo más dulce, más de flor, más de sueño.
Habrás pensado, Niebla,
que España se moría
con mi desesperado, corporal abandono,
invadiendo un nocturno funeral, un silencio
definitivo todo lo que su ayer de sombras
y de heroicos relámpagos
fue creando su día,
su anhelante mañana.
Habrás pensado, Niebla,
lejos ya de tus mares,
sin ti, ya en otros tristes y extranjeros kilómetros,
ignorando en qué prados,
en qué montes u orillas,
yacías pobremente llorando por mi vuelta;
habrás pensado, amarga flor mía, habrás pensado,
y con cuánta dolida razón, que mi memoria
te perdía, cayéndose
tu nombre fiel, tu puro
amor con la caricia de otros nuevos amigos.
Pero no, que aquí estás jubilosa a mi lado,
Niebla de sol y bosques,
viva en mí para siempre,
junto a la mar tranquila.

COPLAS DE JUAN PANADERO
(1949-1953)

Poética de Juan Panadero

1

Digo con Juan de Mairena:
«Prefiero la rima pobre»,
esa que casi no suena.

2

En lo que vengo a cantar,
de diez palabras a veces
sobran más de la mitad.

3

Hago mis economías.
Pero mis pocas palabras,
aunque de todos, son mías.

4

Mas porque soy panadero,
no digo como los tontos:
«que hay que hablar en tonto al pueblo».

5

Canto, si quiero cantar,
sencillamente, y si quiero
lloro sin dificultad.

6

Mi canto, si se propone,
puede hacer del agua clara
un mar de complicaciones.

7

Yo soy como la saeta,
que antes de haberlo pensado
ya está clavada en la meta.

8

Flechero de la mañana,
hijo del aire, disparo
que siempre da en la diana.

9

Si no hubierà tantos males,
yo de mis coplas haría
torres de pavos reales.

10

Pero a aquél lo están matando,
a éste lo están consumiendo
y a otro lo están enterrando.

11

Por eso es hoy mi cantar
canto de pocas palabras...
y algunas están de más.

VISIÓN DE JUAN PANADERO

1

¡Ay cuánto pus, cuánta podre,
cuánta metífica charca
y cuántos años salobres!

2

Juan Panadero, dormido,
ve a tanto español que a tumbos
va por un túnel perdido.

3

¿Dónde está la luz? El cielo
se les ha muerto en los ojos
y el alma toda es de yelo.

4

¿Adónde ir? Pensarán
que andan por algún camino...
Y ya ni vienen ni van.

5

¡Qué castigo! Es un desierto
sin sol, sin aire, sin agua...
Un mudo arenal de muertos.

6

Fría ciudad. Por las calles
todos se dicen adiós...
Y no se responde nadie.

7

Ya no hay tardes ni mañanas.
Llueve cal de las esquinas
y cera de las ventanas.

8

¡Qué larga noche! Los muros
se han cerrado como losas
de un gran cementerio oscuro.

9

Mas caminan. Pero son
ciegos difuntos que arrastran
polvo por un callejón.

10

Juan Panadero despierta.
Y sobre una España viva
ve andar una España muerta.

ORA MARITIMA

(1953)

Ora maritima, AVIENO

A CÁDIZ, *la ciudad más antigua de Occidente que abrió los ojos a la luz del Atlántico en el año 1100 a. de J. C., al celebrar ahora su tercer milenario le ofrece desde lejos este poema, un hijo fiel de su bahía.*

CÁDIZ, SUEÑO DE MI INFANCIA

Aquí está la ciudad de Gádir...
Aquí están las Columnas del constante Hércules... y más lejos la fortaleza de Geronte, que su nombre antiguo tiene de Grecia, ya que de ella sabemos que Geryón recibió su nombre.
Aquí se extienden las costas del golfo Tartesio.
Éste es el Océano que ruge alrededor de la vasta extensión del Orbe, éste es el máximo mar, éste es el abismo que ciñe las costas, éste es el que riega el mar interior, éste es el padre de Nuestro Mar.

AVIENO, *Ora Maritima*

Te miraba de lejos, sin comprenderme, oh Cádiz,
a orillas de tu mar, por la que el férreo Alcides,
el vástago errabundo, hijo feliz de Alcmena,
después de abrir las puertas azules del Océano,
pasó a robar los toros bravos de las marismas
en donde Geryón, pastor y rey,
de tres grandes cabezas ornado, gobernaba.

Te miraba, distante, desde un libro de texto
a través de las palmas datileras, los nísperos,
las finas trasparentes araucarias
del jardín colegial en donde un día
supe de las fenicias naves y las Columnas
que tú, naciente Gádir, consagrabas al héroe.

Te miraba, ignorando aún que tus pescadores,
los mismos pescadores pobres que yo veía
salir del Guadalete hacia los litorales
africanos, también eran los mismos
almadraberos tuyos, tus desnudas
gentes del mar que a Tarsis arribaban
por el oro, la plata y el misterioso estaño.

Yo te miraba, oh Cádiz, bahía de los mitos,
arsenal de mi infancia, murallas combatidas,
salvas de los cañones al recibir los barcos,
verdes relampagueos de tu faro en mis playas,
sin saber que Moloch, el ígneo dios carnívoro,
devorador de esclavos, ardió un tiempo en tus piedras.

Oh, sí, yo te miraba, cuántas veces volcado
u orante, de rodillas, sobre las resbaladas
blanduras de mis médanos, desnudo, abriendo hoyos
de los que el mar salía, pequeñito, ofreciéndome,
con los secretos nácares de las valvas hundidas,
las hojas de tus frescos verdores submarinos.

Canas de antigüedad, tus estelares fábulas,
tus solares historias,
¡oh gaditano mar de los perdidos
Atlantes, vesperales jardines de la espuma,
islas desvanecidas del Ocaso!,
ya oscuro en tus orillas, me acunaban, cantándome.

Bahía de los mitos

Y cuando Perseo arrancó la cabeza a la Medusa, surgió el gran Crisaor, con el caballo Pegaso. Los dos recibieron estos nombres, uno, porque había nacido al borde de las olas del Océano, otro, porque en sus manos sostenía una espada de oro.

Crisaor engrendró a Geryón, el de las tres cabezas, unido a Callirroe, hija del ilustre Océano. A aquél, Heracles el Fuerte lo mató, junto a sus toros de torcidos pasos, en Erytheia, que circundan las olas, el día que él arreó sus toros de anchas frentes hacia la santa Tyrinto, después de haber franqueado la corriente del Océano y haber matado juntamente a Orthos y Eurytión el boyero, en su dehesa brumosa, más allá del ilustre Océano.

HESÍODO, *Teogonía*

Había nacido Geryón casi enfrente de la ilustre Erytheia, junto a las fuentes inmensas del Tartesos, de raíces argénteas, en un escondrijo de la peña.

ESTESÍCORO, *Geryón*

Estoy sentado en la arena,
playa azul de mi bahía.
Un viento caliente empuja
bramidos de las marismas.
Son los toros acosados
de las marismas.

Hay torbellinos de algas
y espumas de la bahía.
Siento cervices que crujen
y espinazos que se cimbran.
Un ciclón de bronce zumba
de las marismas.

Brazos tronchados de pulpos
ennegrecen la bahía.
La cabeza de Medusa,
centrando el mar, sangra, fija.
Silban crispadas serpientes
por los desiertos de Libia.
Crisaor, falcata de oro,
se hunde lento en las marismas.
Los ojos de las Gorgonas,
en las marismas.

¿Qué fuerza sagrada arranca
las rocas de la bahía?
Lamentos de can herido,
de dios ya casi sin vida.

Geryón, rey de Tartesos,
rey fluvial, dios de la Isla
del Ocaso, y mayoral
de toros de las marismas.
Mayoral de toros bravos
de las marismas.

Mazazos de clava tunden
los ecos de la bahía.
Las tres cabezas del rey
mugiente ruedan partidas.
Las dos cabezas de Orthos,
su perro, también partidas.
Y Eurityón, pastor del rey,
boyero de las marismas,
vuelca, partido, su sangre
por las marismas.

Gritos de Heracles el Fuerte
retumban en la bahía.
¡Eh, que se llevan los toros,
los bravos toros de lidia!
Torbellinos de testuces
y de cuernos que se astillan.
Mugir del mar y del viento
de las marismas.

Abriendo un nuevo camino,
los litorales arriba,
va Heracles, ladrón de toros
de las marismas.

BALADAS Y CANCIONES DEL PARANÁ
(1953-1954)

BALADAS Y CANCIONES DE LA QUINTA DEL MAYOR LOCO

BALADA DE LO QUE EL VIENTO DIJO

La eternidad bien pudiera
ser un río solamente,
ser un caballo olvidado
y el zureo
de una paloma perdida.

En cuanto el hombre se aleja
de los hombres, viene el viento
que ya le dice otras cosas,
abriéndole los oídos
y los ojos a otras cosas.

Hoy me alejé de los hombres,
y solo, en esta barranca,
me puse a mirar el río
y vi tan sólo un caballo
y escuché tan solamente
el zureo
de una paloma perdida.

Y el viento se acercó entonces,
como quien va de pasada,
y me dijo:

La eternidad bien pudiera
ser un río solamente,
ser un caballo olvidado
y el zureo
de una paloma perdida.

Canción 1

Aquí sí yo hubiera sido
caballo, sólo caballo
junto al río.

Es tanta la soledad
del hombre y tan grande el río,
que aquí sí yo hubiera sido
caballo, sólo caballo
junto al río.

Ser como piedra encendida
del viento y pacer dormido
sobre el bañado del río,
junto al río.

De pronto, un relincho largo
y un galopar infinito,
para seguir siendo piedra
del viento y pacer dormido
del otro lado del río,
junto al río.

Canción 2

Di, río, ¿qué puedo ser
ante ti,
tan inmensamente grande?
Y tú, río,
¿qué puedes ser ante mí?

En Córdoba, Argentina, 1940

Si fueras barco, te irías.
Si fuera barco, me iría.
¿Qué quedaría de ti,
qué de mí?

Solo estás y solo estoy.
Te miro. Me miras. Y,
tan inmensamente grande,
¿qué puedo ser para ti?

Adiós, río. Nunca digas
que me viste, que te vi.

Balada que trajo un barco

Las dríadas son las jacas
y los faunos los caballos.
(Un barco griego ha movido
los árboles del bañado.)

Paloma del Paraná,
vuela y vámonos.

Los pinos de la barranca
son los del Mediterráneo.
Un viejo gaucho en el viento,
Sagitario.

Abeja del Paraná,
vuela y vámonos.

Ríe en chiripá Sileno,
borracho entre los naranjos.
Venus austral baila hoy
sobre un verde equivocado.

Estrella del Paraná,
vuela y vámonos.

Canción 3

Si yo estuviera cansado,
río grande, de la vida,
¿qué no haría por perderme
por tus islas?

Sé de las islas del mar,
pero no sé de tus islas.
Las tuyas tienen caballos,
niñas azules las mías.

Dame un caballito overo
por una niña.

Si yo estuviera cansado,
río, tú me lo darías,
sé que tú no me lo darías.

Canción 4

Basta un balcón sobre el río
y unos caballos paciendo
para viajar noche y día
sin moverse.

Los caballos están fijos
y el río está quieto siempre.
Sólo, a veces,
pasa un barco que lo inquieta,
y el aire, para moverse
un poco y trabajar algo,
cambia un caballo de sitio,
y allí lo deja.

Y el hombre del balcón vuelve,
mientras, de un largo viaje,
sin moverse.

Canción 5

Hoy las nubes me trajeron,
volando, el mapa de España.
¡Qué pequeño sobre el río,
y qué grande sobre el pasto
la sombra que proyectaba!

Se le llenó de caballos
la sombra que proyectaba.
Yo, a caballo, por su sombra
busqué mi pueblo y mi casa.

Entré en el patio que un día
fuera una fuente con agua.
Aunque no estaba la fuente,
la fuente siempre sonaba.
Y el agua que no corría
volvió para darme agua.

Canción 6

Aquí se está quieto, pero
el mundo sigue girando.

Aquí se mueven los pájaros,
pero están quietos.
Y el mundo sigue girando.
Yo estoy quieto, pero el mundo
dentro de mí está girando.

¿Qué saben estos caballos,
estas dulces campanillas,
estos perros y este largo
sollozo de la paloma?
¿Qué el hombre que va en el aire
galopando?

Se mueven, pero están quietos.
...Y el mundo sigue girando.

Canción 7

Paloma desesperada,
¿dónde estás?

Te oigo cantar en el alba,
pero no sé dónde estás.
Ni en qué árbol ni en qué rama.

Te oigo cantar en la siesta,
pero no sé dónde cantas.
¿Dónde estás?

Te oigo cantar en la tarde,
ya junto a mí, ya lejana.
Pero no sé dónde estás,
dónde cantas.

Te oigo cantar en la noche,
y siempre desesperada.
¿Dónde estás, triste paloma
desesperada?

Di, ¿por qué desesperada?
¿Dónde estás?

Balada del uno y del otro

Uno llegó a estas orillas.
De España llegó. Venía.
Era el Uno.
Otro llegó a estas orillas.
De Italia llegó. Venía.
Era el Otro.

Uno y Otro.
Otro y Uno.
Iguales los dos venían.
Llenas de sueños las manos.
Bien llenas, pero vacías.

Uno y Otro vieron cómo
era la tierra infinita.
Tierra virgen, tierra plena,
tierra rica.
Uno y Otro,
Otro y Uno,
doblados sobre la tierra
infinita,
la lloraron, la sudaron,
dándole cuanto tenían.
Uno y Otro,
Otro y Uno
le dieron cuanto tenían.
Y al fin la tierra en las manos
les puso cuanto tenía.

Años después llegó otro,
otro Uno a estas orillas.
De España también venía.
Y otro Otro
también llegó a estas orillas.
De Italia también venía.

Otro Uno
y otro Otro.
Iguales los dos venían.
Llenas de sueños las manos.
Bien llenas, pero vacías.

Uno se marchó a la tierra
que el viejo Uno tenía.
Y Otro se marchó a la tierra
que el viejo Otro tenía.
Y vieron que ya la tierra
no era esa tierra infinita.

Doblados sobre esa tierra,
le dieron cuanto tenían.
La lloraron, la sudaron,
dándole cuanto tenían.
Otro Uno
y otro Otro
le dieron cuanto tenían.

Y el Uno en poder del Uno
y el Otro en poder del Otro,
se quedaron para siempre
con las dos manos vacías.
Otro Uno
y otro Otro,
con las dos manos vacías.

Canción 8

Hoy el Paraná respira
con aliento de azahares.
Con el azahar me voy.
No me detengáis.

Llego a costas que me llaman.
Me aposento en litorales
que me conocen de antiguo.
Me voy.
No me detengáis.

Por allí andaba la mar
dentro de los naranjales.
Y el amor... No me llaméis.
Me voy.
No me detengáis.

CANCIÓN 9

Todo es claro.
Pero si en mí está lo oscuro,
¿cómo he de cantar diáfano?

Puedo llegar a la luz
por la oscuridad del paso
de sombras que llevo dentro,
nadando a ciegas, nadando.

Mas para nadar, a veces,
faltan brazos.
Y el canto se queda a oscuras,
y hoy, para mí, ya no es canto.

CANCIÓN 10

(Almotamid.)

El campo, de terciopelo,
bordado está de caballos.
Verde el terciopelo y negra
la greca de los caballos.

Pienso en el rey de Sevilla,
triste y blanco.

Cuelga el río en su cintura
un alfanje azul de barcos.
Y encima, el cielo, un turbante
azul con pájaros blancos.

Pienso en el rey de Sevilla,
desterrado.

Una golondrina vuela,
hacia la mar, río abajo.

¿Adónde vas, golondrina,
sin oírme, río abajo?

Pienso en el rey de Sevilla,
encadenado.

Balada de la sinceridad al toque de las Ánimas

Señor, al toque de Ánimas,
hoy te invoco, aunque no creo
que me escuches, pero eres
todavía una palabra
aprendida desde niño,
y hay veces, como esta tarde,
que no está mal repetirla.

Señor, ser viento, Señor.
Viento, ser campo, Señor.
Campo, ser yerba, Señor.
Yerba, ser nido, Señor.
Nido, ser pluma, Señor.
Pluma, ser nube, Señor.
Nube, ser cielo, Señor.
Cielo, ser lluvia, Señor.
Lluvia, ser río, señor.
Río, ser barco, Señor.
Barco, ser humo, Señor.
Humo, ser mares, Señor.
Mares, ser luna, Señor.
Luna, ser rayo, Señor.
Rayo, ser trueno, Señor.
Trueno, ser calma, Señor.
Calma, ser ira, Señor.
Ira, ser verde, Señor.
Verde, ser azul, Señor.
Azul, ser negro, Señor.
Negro, ser bruma, Señor.
Bruma, ser claro, Señor.

Claro, ser alba, Señor.
Alba, ser día, Señor.
Día, ser día, Señor.
Cualquier cosa que se vea,
que flote, vuele o se hunda,
que sepa que está en el aire,
que está en la tierra o el agua.
Algo, ser algo, ser algo,
menos lo que soy ahora:
un poeta, las raíces
rotas, al viento, partidas,
una voz seca, sin riego,
un hombre alejado, solo,
forzosamente alejado,
que ve ponerse la tarde,
con el temor de la noche.
Cualquier cosa, pero viva,
por más pequeña que sea.
Sí, cualquier cosa, Señor,
pero viva, cualquier cosa...

CANCIÓN 11

Yo mataba los murciélagos
en torres frente a la mar.
Hoy, en balcones lejanos
de la mar y frente a un río,
pasan, negros, por mi frente
y no los quiero matar.

Murciélagos de los días
torreados, frente al mar:
yo os mataba, pero ahora
que está cayendo la tarde
tan lejos de aquella mar,
aunque paséis por mi frente
–¡seguid!–, no os puedo matar.

Balada del silencio temeroso

Aquí, cuando muere el viento,
desfallecen las palabras.
El molino ya no habla.
Los árboles ya no hablan.
Los caballos ya no hablan.
Las ovejas ya no hablan.

Se calla el río.
Se calla el cielo.
Y el benteveo se calla.
Y el loro verde se calla.
Y el sol arriba se calla.

Se calla el hornero.
El zorzal se calla.
Se calla el lagarto.
Se calla la iguana.
Se calla la víbora.
La sombra, abajo, se calla.

Se calla todo el bañado
y la barranca se calla.
Se calla hasta la paloma,
que nunca jamás se calla.

Y el hombre, siempre callado,
entonces, de miedo, habla.

Canción 12

Si este campo verde fuera
de pronto el mar, estaría
todo él en movimiento.

Los caballos nadarían,
dando más cumbre a las olas.

Los toros, paciendo el mar,
las medias lunas al viento,
más horizonte a las olas.

Y los rebaños de ovejas,
albos vellones del mar,
más espumas a las olas.

Pero este campo está fijo,
quieto al sol, sin movimiento,
sin comprender que si fuera
de pronto el mar, dejaría
de estar quieto.

Balada del andaluz perdido

Perdido está el andaluz
del otro lado del río.

—Río, tú que lo conoces:
¿quién es y por qué se vino?

Vería los olivares
cerca tal vez de otro río.

—Río, tú que lo conoces:
¿qué hace siempre junto al río?

Vería el odio, la guerra,
cerca tal vez de otro río.

—Río, tú que lo conoces:
¿qué hace solo junto al río?

Veo su rancho de adobe
del otro lado del río.

No veo los olivares
del otro lado del río.

Sólo caballos, caballos,
caballos, solos, perdidos.

¡Soledad de un andaluz
del otro lado del río!

¿Qué hará solo ese andaluz
del otro lado del río?

Canción 13

Hoy amanecieron negros
los naranjos.
Los azahares tan blancos
ayer a la tarde, negros.
¡Qué negros han despertado!

No sé qué viento ha caído
anoche por la barranca.
Si no el viento, algo ha caído
anoche por la barranca.
Algo.

Al balcón esta mañana,
igual que todos los días,
me asomé a ver los naranjos,
y vi lo que estoy diciendo.
Algo, algo
que, por no entender del todo,
me callo.

Balada de la nostalgia inseparable

Siempre esta nostalgia, esta inseparable
nostalgia que todo lo aleja y lo cambia.
Dímelo tú, árbol.

Te miro. Me miras. Y no eres ya el mismo.
Ni es el mismo viento quien te está azotando.
Dímelo tú, agua.

Te bebo. Me bebes. Y no eres la misma.
Ni es la misma tierra la de tu garganta.
Dímelo tú, tierra.

Te tengo. Me tienes. Y no eres la misma.
Ni es el mismo sueño de amor quien te llena.
Dímelo tú, sueño.

Te tomo. Me tomas. Y no eres ya el mismo.
Ni es la misma estrella quien te está durmiendo.
Dímelo tú, estrella.

Te llamo. Me llamas. Y no eres la misma.
Ni es la misma noche clara quien te quema.
Dímelo tú, noche.

Canción 14

A la soledad me vine
por ver si encontraba el río
del olvido.
Y en la soledad no había
más que soledad sin río.

Cuando se ha visto la sangre,
en la soledad no hay río
del olvido.
Lo hubiera, y nunca sería
el del olvido.

Balada del posible regreso

Barrancas del Paraná:
conmigo os iréis el día
que vuelva a pasar la mar.

No ya como el Conde Olinos,
que de niño pasó al mar,
seré cuando pase el mar.

Mi cabeza será blanca,
y mi corazón tendrá
blancos también los cabellos
el día que pase el mar.

Pero una cosa en mi sangre
siempre el viento moverá
verde cuando pase el día
que vuelva a pasar el mar:

¡Barrancas verdes del río,
barrancas del Paraná!

CANCIONES

Canción 1

Otra vez en el balcón
del verano.
A cantarme nuevamente
cómo se va otro verano.

Nuevamente,
lo inmóvil que está el caballo,
lo inmóvil que pasa el río,
lo inmóvil que arde el bañado.
Nuevamente,
lo inmóvil que arde el bañado.

Para cantarme lo mismo
que esperé el otro verano,
nuevamente, en el balcón
—¡ay!— del verano.

CANCIÓN 2

¿A quién echarle la culpa
yo
de tener que repetirme
yo,
de volver a oír lo mismo,
yo,
a cantar lo mismo yo,
la culpa de ver lo mismo?

Alguien que tuvo la culpa
—¡y cuánta sangrienta culpa!—
me trajo a este mismo sitio.

Y, calandria presa yo,
canto en este mismo sitio
yo.

CANCIÓN 3

Estos silbos que me silban
estribillos.

Pequeños cantos,
cantarcillos.

Bien está
que yo merezca todavía
cantar.

CANCIÓN 4

Cantar más chico que un grano
de arroz.
Cuanto más chico, más chico,
se le adentra más el sol.
Cuanto más chico, más chico,
se oye mejor..

CANCIÓN 5

Versos largos, versos largos,
caminos interminables,
pies y pulmones cansados.

Me basta una sola línea
para la risa o el llanto.

Y hasta me sobra esa línea
para el llanto.

Cuando una lágrima corre,
la dejo correr en blanco.

CANCIÓN 6

Ya no me importa ser nuevo,
ser viejo ni estar pasado.
Lo que me importa es la vida
que se me va en cada canto.

La vida de cada canto.

CANCIÓN 7

No me avergüenza cantar
en verso que dicen viejo.
También el canto encanece
más que el verso.

CANCIÓN 8

Sentimiento, pensamiento.
Que se escuche el corazón
más fuertemente que el viento.

Libre y solo el corazón,
más que el viento.

El verso sin él no es nada.
Sólo verso.

CANCIÓN 9

Esta ventana me lleva,
la mire abierta o cerrada,
a Jerez de la Frontera.

Que este campo,
donde galopan o duermen
los caballos,
y este río,
por más grande que parezca,
son Jerez de la Frontera.

Campo y río
de Jerez de la Frontera.

CANCIÓN 10

Quisiera cantar: ser flor
de mi pueblo.

Que me paciera una vaca
de mi pueblo.

Que me llevara en la oreja
un labriego de mi pueblo.

Que me escuchara la luna
de mi pueblo.

Que me mojaran los mares
y los ríos de mi pueblo.

Que me cortara una niña
de mi pueblo.

Que me enterrara la tierra
del corazón de mi pueblo.

Porque, ya ves, estoy solo,
sin mi pueblo.
(Aunque no estoy sin mi pueblo.)

CANCIÓN 11

Vuelo de mensajería,
calandria fluvial, calandria.
¿No quieres llevarme tú
una carta?

Vuelo de mensajería
para un ruiseñor de España.
Di, calandria.

Verás un jardín y un árbol
que se sube a una ventana.
¿Sí, calandria?

Alguien pena allí esperando
una carta.
Si le preguntas su nombre...
Se llama como él me llama.
¿No quieres llevarme tú
una carta?

Adiós, calandria del río,
americana.

Canción 12

Sé que el hambre quita el sueño.
Pero yo tengo que seguir cantado.

Que la cárcel nubla el sueño.
Pero yo tengo que seguir cantando.

Que la muerte mata el sueño.
Pero yo tengo,
yo tengo que seguir cantando.

Canción 13

(Antonio Machado.)

Con cuánta melancolía
pienso en ti. Tú hubieras visto
lo que yo miro esta tarde.
Cosas naturales, cosas
tan buenas, puras y santas,
que sólo pueden mirarse
con lágrimas en los ojos.
Un río que no se mueve,

pero que nos da la mano,
susurrando nuestro nombre.
Un caballo que levanta,
al vernos pasar, la frente,
queriéndonos decir algo.
Un perro fiel que nos prueba
su amor y su mansedumbre,
durmiéndose a nuestras plantas.
Un árbol que nos ofrece
su sombra como el amigo
que nos entrega su casa.
Y una pradera encendida
que llega hasta el horizonte,
tendiendo pastos tranquilos
en el cielo...

Canción 14

Cantas raro,
pajarraco.

Repites letras y letras,
y nadie atiende a tu canto.

Y si lo atiende... ¡Qué risa,
pajarraco!

Canción 15

Tierras lejanas... Y toros.
Y barcos... Mares lejanas.

Os beso, tierras sagradas
para mí, tierras lejanas.

Me arrodillo en vuestras olas,
en vuestras arenas, playas.

Olas y arenas sagradas,
para mí, mares lejanas.

Canción 16

Abrió la flor del cardón
y el campo se iluminó.

Los caballos se encendieron.
Todo se encendió.

Las vacas de luz pacían
pastizales de fulgor.

Del río brotaron barcas
de sol.

De mi corazón, ardiendo,
otro corazón.

Canción 17

Campos de paz. Y, sin embargo,
hoy los miro llenos de muertos.

Trincheras y flores de sangre.
Tierra de muertos.

Dejadme que en esta mañana
cuide a mis muertos.

Jardines y cantos de vida
para mis muertos.

¡Qué maravillas van un día
a dar mis muertos!

CANCIÓN 18

El campo nos torna buenos
y ni siquiera a las moscas
quisiéramos darles muerte.

Pero son tantas, Dios mío,
las que pusiste en los vientos
solares de este verano,
que —perdonad, zumbadoras,
oscuras y enloquecidas—
tengo que darles la muerte
para poder cada día
seguir cantando.

CANCIÓN 19

Yo no sé —dímelo, viento—,
si al cabo de tantos años
el canto que sopla dentro
de mi corazón, la música
de mi corazón son algo
más que tú, que eres tan sólo
viento.

¿Qué he sido, viento?
Viento quizás, sólo viento.
Solo, ahora, aquí contigo,
de cara a ti —dime, viento
cansado de estas barrancas—,
¿soy lo que tú, sólo viento?

Quise ser vario, diverso,
múltiple, tener un cántico
pleno.
Yo quise
tener un cántico pleno.

Pero no sé, viento solo,
perdido de estas barrancas,
si seré al fin lo que tú:
viento.
Algo que tan sólo pasa
y en nadie deja recuerdo.

Viento quizás, sólo viento.

CANCIÓN 20

Estaban en tierra, caídos,
mejor, volcados.
Pisoteados.

Yo, que por allí pasaba,
vi que eran soldados.

Comprendí que de los míos.
Soldados.

Mi mismo traje vestían.
Sus ojos rotos me miraron.

Esto lo recuerdo ahora,
lejos, en otros campos.

CANCIÓN 21

(Pedro Salinas.)

¡Qué dolor que te hayas ido,
sin haberte visto más,
como yo hubiera querido!
Amigo.

Antonio se fue. Y se fueron
también Miguel y Federico.
Con ellos tú también ahora.
Amigo.

Siéntate al pie de estos naranjos,
junto a estas barrancas y ríos.
Dichosa sube la mañana.
Pero qué lejos, amigo.

Te escucho, alegre, en tus balcones.
Por las calles, alegre, te sigo.
Tu voz me canta como en sueño.
Pero, amigo, qué lejos, amigo.

Aquella tierra con nosotros
no fue lo buena que quisimos.
Cuántas cosas en ella dejamos.
Cuánto le dimos, amigo.

Algún día nos tendrá juntos
aquella pobre tierra, unidos.
Mientras, al pie de estos naranjos,
junto a estas barrancas y ríos,
descansa a mi lado, amigo.

Dichosa sube la mañana.
Siéntate junto a mí, buen amigo.

CANCIÓN 22

Por allí, ahora, ya estarán durmiendo,
mientras aquí llueve con sol.

Los asesinos, los tristes,
bien escondidas las manos
debajo de la almohada.

Por allí, ahora, sobre sus raídas
cabezas pálidas, sordas,
mientras aquí llueve con sol,
la mirada de algún santo,
la de la Virgen tal vez,
o los brazos
abiertos violentamente
del pobre Crucificado.

Dormidos por allí, ahora,
mientras aquí llueve con sol.

Canción 23

Río de Gaboto,
te miro correr.
Fresa pálido en la mañana.
Encendido, al atardecer.

Río de Gaboto,
te miro pasar.
¿Cuándo, dime, para mí el día
color de mar?

(Tiene el volver color de mar.)

Canción 24

(Lucía Miranda.)

Nada había. Sólo agua.
Y a ti te vieron las aguas,
aguas del río, las aguas,
Lucía Miranda, amor.

Nada había. Ni caballos,
ni estos naranjos que ahora
mira el viento. Ni esta casa.
Sólo agua.
Tú viste correr las aguas,
aguas del río, las aguas,
Lucía Miranda, amor.

Flechas y piedras caídas,
sangre de amor y fogatas.
Eso había. Y lo que había
se lo llevaron las aguas,
contigo, también, las aguas,
Lucía Miranda, amor.

Canción 25

Naves de Sanlúcar salen
para el Paraná.

Garcilaso de la Vega
hubiera podido embarcar.

Hubiera llegado a estas tierras,
no para en ellas guerrear.

Sino para cantar el río
Paraná.

Sauces le hubiera dado el río
Paraná.

Y verdes ninfas él al río
Paraná.

Canción 26

Turbación en los altos pastos.
Viento fuerte contra la aurora.

Son los caballos de Mendoza.

Crines sacudidas, estruendo
de sangre en las aguas atónitas.

Son los caballos de Ayolas.

Fatiga, fatiga, fatiga.
Guerrear y siembra de cruces.

Son los caballos de Álvar Núñez.

Hambre, sed, polvo, hierro, muerte.
Noche en las selvas asombradas.

Son los caballos de Irala.

Caballos de España, caballos
en las tierras americanas.

La nueva tierra americana.

Canción 27

Por el Paraná, bajeles
esta noche.

Descargas de artillería,
por el Paraná, esta noche.
Sombra del Adelantado,
sombra camino del mar,
esta noche.

¿Quién va a morir en el mar
esta noche?

CANCIÓN 28

Hoy quiero soñarte, río,
más pequeño.

Igual que el Guadalquivir,
o más chico, como el Duero.

Y todavía más chico,
más pequeño.

Lo mismo que el Guadalete
de mi pueblo.

Río que sueña en ser mar,
debe ser mar, si es su sueño.

Déjame así que hoy te sueñe
más pequeño.

CANCIÓN 29

Noche turbada de mugidos.
¡Si estaré acaso en las dehesas!

Los toros bravos se responden.
La luna atónita los ciega.

¿Son las marismas? ¿Es el mismo
bramar antiguo el que me llega?

¿Cuándo la tierra en que no estoy
me hará sentirme en otra tierra?

Canción 30

Mis perros —todos se han ido—
me inquieren, me anhelan algo.

¿Qué harían si yo me fuera,
si por algo
tuviera yo que dejarlos?

Tienen miedo de quedarse,
igual que Don Amarillo,
solos por estas barrancas,
ladrando.
Pidiendo de puerta en puerta,
mirando al río, ladrando.

No me preguntéis. Un día
nos iremos en un barco.

No os quiero decir adonde.
En un barco.

El alma de la Centella
me aguarda, os está esperando.
Las costas del sol son grandes.
Los castillos, altos.

Le ladraréis a la mar
desde los castillos altos.

También la Niebla me espera,
me aguarda, os está esperando.
Los campos del sol son grandes.
Y los montes, altos.

Le ladraréis a la luna
desde los montes más altos.

No me preguntéis. Dormíos.
Nadie nos está llamando.
Todavía
nadie nos está llamando.

Canción 31

Creemos el hombre nuevo,
cantando.
El hombre nuevo de España,
cantando.

El hombre nuevo del mundo,
cantando.

Canto esta noche de estrellas
en que estoy solo, desterrado.

Pero en la tierra no hay nadie
que esté solo si está cantando.

Al árbol lo acompañan las hojas,
y si está seco ya no es árbol.

Al pájaro, el viento, las nubes,
y si está mudo ya no es pájaro.

Al mar lo acompañan las olas
y su canto alegre los barcos.

Al fuego, la llama, las chispas
y hasta las sombras cuando es alto.

Nada hay solitario en la tierra.
Creemos el hombre nuevo cantando.

Canción 32

Lívido el bañado y lívida
la luz sobre los caballos.
Un rayo se hinca en el río.
Corren chispas por el campo.

Artilleros de las nubes
truenan.
Yo estoy recordando
ciudades rotas y niños
despedazados.

Dios de las exhalaciones
y los truenos, ¿hasta cuándo
no borrarás esas armas
de tus espacios?

Clara siempre esté la tierra,
y siempre los cielos, claros.

La tierra y los cielos, claros.

Canción 33

Las velas ya derramaron
cuantas lágrimas tenían.
No tienen más que llorar.
Empiezo a ver. Me acompaña
tan sólo la oscuridad.

La más viva oscuridad.

Canción 34

A J. Herrera Petere.

Trenes en el viento, trenes
que van hacia el Guadarrama.

Pero por aquí, maizales,
ríos inmensos y barcos
que bajan hacia los mares.

Mas en el viento que pasa
yo escucho trenes lejanos
que van hacia el Guadarrama.

Canción 35

Bruma y llovizna en el Sena.
¿Pero por qué estos caballos
mirándolo?

Puentes de París y orillas
de álamos.

Por un Paraná de bruma
hoy vuelvo a Francia a caballo.

Canción 36

En aguas del Baradero
lancé mi anzuelo.

Era de noche y un barco
llevó mi línea y mi anzuelo.

Las aguas del Paraná,
más lejos,
Se los llevaron más lejos.

Hoy pescan en otros mares,
solos, mi línea y mi anzuelo.

Canción 37

Aunque yo quisiera ser
de otro país, de otra parte,
¿quién iba a ahogarme la voz
de mis mares?

¿Quién iba a ahogármela, a ahogarme?

Podré cantar este árbol,
estas tierras, este aire.
Podré cantar este aire.

Hasta morir yo podría
en otra parte.
Cantando yo, en otra parte.

Pero mi voz seguiría
la de mis mares.
Siendo la de mis dos mares.

¿Quién iba a ahogármela, a ahogarme?

Canción 38

Tú resucitarás de entre los muertos,
porque están vivos
y viva tú entre los muertos.

No moriste,
porque ellos nunca murieron.
Tu hermoso rostro de siglos
está en ellos.
Tu hermoso rostro son ellos.

Con él respiran y hablan,
aunque estén muertos.

Con él se alzarán un día,
aunque estén muertos.

Viva estás. Sí, pero un día
tú resucitarás de entre los muertos.

Canción 39

Un barco al pasar me trajo
las ventanas de mi colegio.

Era una plaza redonda
con dos araucarias en medio.

A las seis se abría una puerta
y ya el sol se quedaba adentro.

Afuera, vacía, la plaza,
con las ventanas del colegio.

Canción 40

Os llevaré retratados
en mis ojos.
En el claro de mis ojos.

Los mirarán cuando llegue,
y algunos dirán:
—Hay ríos
y caballos en tus ojos.

El alma de otros paisajes
se me ha quedado dormida
en los ojos.

¿No oís? ¡Qué lejanas aguas
y qué perdidos caballos
pasan, lentos, por mis ojos!

Por el claro de mis ojos.

Canción 41

¡Qué tangible aparición!
Revelada maravilla.
Hay realidad que es más sueño
que el que inventa la vigilia.

Al bañado le ha salido
un pulmón de sangre tibia.
Beben en él los caballos
sangre de la tierra, tibia.

Tibio el aire, eleva barcos
sobre el agua suspendida.
Las vacas bajan del cielo
a beber la sangre tibia.

Es el otoño, y la tierra
me nace desconocida.
No sé si es verdad o invento
de mis ojos lo que miran.

Canción 42

En el otoño –¡viva el sol!–,
en el otoño, amor.

Lejos de ti, tan lejos yo,
en el otoño, amor.

Levantamé, inflamamé,
patria encendida —¡viva el sol!—,
en el otoño, amor.

Canción 43

Los amarillos ya estarán llegando
a aquellas tierras de por sí amarillas.
Quiero oírlos llegar cantando
tan lejos de las dos Castillas.

Amarillos color de la pobreza
y la desgracia, hermanas amarillas.
Cantarlos quiero en su grandeza
tan lejos de las dos Castillas.

Amarillos de otoño, helado umbrío
que les hiere las manos amarillas.
Cantarlos quiero en este río
tan lejos de las dos Castillas.

Canción 44

¡Ay Paraná, si te vieras,
Paraná!

Gran Paraná de Las Palmas,
Paraná.

Hoy tienes orillas altas
de mar.

Ya eres algo más que río.
¡Ya eres mar!

Hoy, sobre ti, si pudiera,
me haría, alegre, a la mar.

CANCIÓN 45

Higueras de la barranca,
sombra negra en el verano,
hoy arañas del otoño,
grises, secas.

Yo sé adonde me lleváis,
higueras.

Aquellas, grandes, veían
pasar los barcos, higueras.

Vosotras, hijas del río,
hoy arañas grises, secas,
veis pasar también los barcos,
ya el otoño, grises, secas.

Higueras de la barranca,
higueras.

CANCIÓN 46

Cuando se va quien se quiere,
el campo se torna oscuro.
No se ve nada, aunque mires,
aunque sepas
que todo está iluminado,
y sepas que las naranjas
siguen de oro, que el río
sigue corriendo de plata,
que sigue el caballo blanco
y negro el cordero negro
y verde el verde del árbol.

Cuando se va quien se quiere,
el campo se torna oscuro
y andas a ciega, buscando.

Canción 47

Las fogatas, a lo lejos,
como barcos incendiados.

¿Arde el río,
o están ardiendo los barcos?

Se alzan en mi corazón
caminos bombardeados.

¿Quién se quema?
¿Quiénes se están abrasando?

Fuegos hay que no son fuegos.
...Mas yo no puedo mirarlos.

Canción 48

Cuando estoy solo, me salen
coplas nada más, coplillas
que no le importan ni al aire.
Hoy que solo me he quedado,
sin ni siquiera mirarme,
el aire pasó de largo.

Canción 49

La tristeza no es desánimo.
No es negación de la vida,
del ejecutivo brazo.

Por la profunda tristeza
de lo que el hombre ha pasado,
puede el hombre romper montes,
volar ríos, barrer campos.

Ganar de nuevo la vida
que le quitaron.
La vida que le robaron.

Mi tristeza es ira, es rabia,
cólera, furia, arrebato.

CANCIÓN 50

Yo no soy para estar solo.
Pienso de pronto que sí,
y pienso que no, de pronto.

Me espanta la soledad.
Es verdad, aunque yo crea,
de pronto, que no es verdad.

CANCIÓN 51

Pensé ponerle a mi casa
de campo un nombre: El Olvido.
Pero pensé: ¡qué buen nombre
para los que mal me quieren
y se llaman mis amigos!

Le di otro nombre: El Recuerdo.
Y di El Olvido al olvido.

CANCIÓN 52

Hojas caídas, ¿puedo hablaros,
desear algo de vosotras?

Secas hermanas, otros tiempos,
tenaces en mis suelas rotas.

De noche, siempre en mis zapatos
persistíais mojadas, solas.

¿Puedo encontrar, hojas de hoy,
una de ayer entre vosotras?

CANCIÓN 53

Hoy me siento como si
cantara en mi nuevo canto
el alba del alhelí.

—Ven, mi amor. ¿Me quieres, di?
Si sí, yo te daré el alba,
el alba del alhelí.

Y si no, también el alba,
el alba del alhelí.

Dime que no.
Dime que sí.

CANCIÓN 54

—No hay que decir: Estoy alegre.
Hay que estarlo.

Alegres hay que están muertos.
Muertos, y hasta ya enterrados.

Alegre, de lo profundo,
no porque yo diga estarlo.

Hoy digo: No estoy alegre.
Algún día voy a estarlo.

(Sin mentirme, voy a estarlo.)

Canción 55

...Y sin embargo, ¡qué alegre,
qué alegre y feliz ha sido
—y volverá a ser— mi canto!

Yo sé que me lo sustentan,
aunque ahora
se escondan, anden ocultas,
cosas y gentes que al mundo
no nacieron
más que para la alegría.

Allí están mis marineros
aguardando.
Mis costas de sol y verdes
rumores largos de vides
y de pinos, aguardando.
Allí, azules, mis salinas,
mi pueblo, mis pueblos blancos,
aunque clavados ahora
con tres clavos, aguardando.
Allí me están aguardando,
allí me esperan, mordiéndose
lo que un día
saltará de nuevo al viento,
cantando,
alegre y feliz, cantando.

Canción 56

Canto, río, con tus aguas:

De piedra, los que no lloran.
De piedra, los que no lloran.
De piedra, los que no lloran.

Yo nunca seré de piedra.
Lloraré cuando haga falta.

Lloraré cuando haga falta.
Lloraré cuando haga falta.

Canto, río, con tus aguas:

De piedra, los que no gritan.
De piedra, los que no ríen.
De piedra, los que no cantan.

Yo nunca seré de piedra.
Gritaré cuando haga falta.
Reiré cuando haga falta.
Cantaré cuando haga falta.

Canto, río, con tus aguas:

Espada, como tú, río.
Como tú, también, espada.
También, como tú, yo, espada.

Espada, como tú, río.
blandiendo al son de tus aguas:

De piedra, los que no lloran.
De piedra, los que no gritan.
De piedra, los que no ríen.
De piedra, los que no cantan.

CANCIÓN 57

Puede ser que yo no sea
de este siglo.
No sé si del que vendrá
o si del que ya se ha ido.

No siempre se puede ser
del momento que se vive.
Nos pesa mucho el ayer.

Yo sueño con un futuro
que no le pese el ayer.

Canción 58

De todos modos, mi canto
puede ser de cualquier parte.
Pero estas rotas raíces,
¡ay, estas rotas raíces!,
a veces no me lo dejan
ser del mundo, ni siquiera
de aquella tierra, tan sólo
de aquella mínima parte
de la Tierra.
Y hay quienes me dicen: Tú,
¿cómo puedes decir eso?
Y yo les respondo: Amigos,
aunque mi canto quisiera
ser del mundo,
tiene al aire las raíces,
y le falta el alimento
de la tierra conocida.
Y es como un árbol que sube
sin ser de ninguna parte,
aunque a veces,
por un infinito golpe
heroico del pensamiento,
tocan tierra sus raíces,
y su canto llega a ser
tan sólo de aquella tierra,
de aquella mínima parte
de la Tierra.

Canción 59

Enemigo subterráneo,
oscuro y torvo enemigo,
te mataré con mi canto.

Día a día, con mi canto.

Mis armas no son las tuyas.
No las conozco. Mi brazo
se maneja sin escudo.
Sin flechas, mis claras manos.

Tú no tienes nada. Sólo
tu triste y mudo trabajo.

¿Dónde estás? Nadie te mira.
Nadie conoce tus pasos.
Pero yo te estoy matando.

No susurres,
ya ni siquiera susurres,
porque yo te estoy matando.

Canción 60

Prisionero de León:
matáronte el avecica
que te cantaba al albor.

Libre, vendrá una mañana
en que escuches tu avecica
cantando de rama en rama.

Canción 61

Un día, los olivares
se llenarán de palomas.

—Más palomas ese día,
madre, que hojas.

—Y, también, más que aceitunas,
hijo, palomas.

Canción 62

Sol de esta tierra, yo llevo
de otra tierra, un sol adentro.

Aquí está el tuyo, aquí el mío,
frente a frente, pero idénticos.

Me hace arder el tuyo, el mío
me hace siempre estar ardiendo.

Dos soles me están quemando.
Ya soy un toro de fuego.

LA PRIMAVERA DE LOS PUEBLOS
(1955-1957)

BAJO LA NIEVE DE POLONIA

1

¡Polonia bajo la nieve!
De niño yo la soñaba,
de niño yo la veía
desde mis playas.

¡Quién a mí me lo diría!
Hoy, niño de muchos años,
no voy soñando su nieve
sino que la voy pisando.

2

Como una inmensa paloma
abre la nieve sus alas.
Polonia, blanca y tranquila
y dulce bajo ella canta.

Canta y labora tranquila,
bajo sus alas.

3

Esta nieve fue de sangre.
Fue de sangre.
Toda la nieve polaca
fue de sangre.

Dímelo tú, campesino.
Respondedme, las ciudades,
ríos, montañas y bosques,
campos y cielos y aves.
Fue de sangre.

Respóndeme tú, soldado,
y tú, madre.
Toda la nieve polaca
fue de sangre.

Mas hoy la nieve es más blanca,
más blanca que la de antes.

4

¿Cómo no pensar en ti,
siempre en ti, desde aquí, Cádiz?

Tú tienes dentro del mar
torres, murallas y calles,
y el corazón oprimido
y prisionero hasta el aire.

Hoy yo, dentro de la nieve,
canto más libre que nadie.

5

Pueblo de España, hoy mendigo,
rey mendigo, hoy yo te pienso
limosnero por la nieve
y por el sol limosnero.

Pueblo que debiera ser
el más grande de los pueblos,
el más libre, el más dichoso
por más sufrido y hambriento.

Por los campos de Polonia
hoy te sueño
hermoso rey de ti mismo,
rey de tu tierra y tu cielo.

Sueño que un día, que un día
no será sueño.
Yo sé que no será sueño.

UNIÓN SOVIÉTICA

1

RETORNO

Yo te hubiera traído,
después de tantos años,
algo que todavía
me es vedado traerte.

Para tu hermosa frente,
¿qué no hubiera traído?

Una ola azul de Cádiz,
un clavel de Sevilla,
un mirto de Granada
y una espiga del cielo de Castilla.

Para tu heroica frente,
¿qué no hubiera traído?

*

¿Qué no hubiera yo traído
para tu hermoso pecho?

El río Guadalquivir,
pálido de limoneros,

los olivares de Córdoba
y el temblor de los álamos del Duero.

¿Qué no hubiera yo traído
para tu heroico pecho?

*

¿Qué no hubiera traído
para tu hermosa garganta?

Una guirnalda de nieves
floridas del Guadarrama.
El corazón de Madrid,
un pez de la mar cantábrica,
la flor de los Pirineos
y la luz mediterránea.

¿Qué no hubiera traído
para tu heroica garganta?

¿Qué no te trajera yo
para ti, si hoy yo pudiera?

Toda España.
Todo el amor de la sangre
del pueblo entero de España.

2

¡Qué absoluto descanso...!

¡Qué absoluto descanso llegar a ti de nuevo
y dormir sin angustias en la noche sintiendo
que el sueño sigue siendo tranquilamente el sueño!

Porque, en verdad, allí, del otro oscuro lado,
de las duras fronteras desde donde a ti vengo,
la vida es el cansancio de siempre estar en vela
y el sueño es la fatiga de estar siempre despierto.

3

Para Alberto Sánchez

Escultor de Toledo.

A ti, cal viva de Toledo, crudo
montón de barro, arcangelón rugiente
contra un violento, tórrido, inclemente
Apocalipsis del horror, grecudo.

A ti, al que el Tajo en su correr agudo
le arrojó el mejor canto de su frente
y un pájaro de piedra trasparente
centró en el hueso mondo de su escudo.

A ti, aunque cerca, pero tan lejano
hoy de aquel frío infierno castellano,
de aquel en sombras sumergido ruedo,

vengo a decirte: A caminar, hermano.
Que muy pronto en la palma de tu mano
con nueva luz se amasará Toledo.

(Moscú, febrero, 1956.)

SONRÍE CHINA

Buenos Aires-Pekín

Buenos Aires.
Otra vez a los cielos.
Y en «Ezeiza»,
los pañuelos de los amigos,
y en la brisa, nuestros pañuelos.

Se van a China
Aitana,
María Teresa,
Rafael.
¿Se van en una golondrina
de porcelana?
¿En una mariposa de papel?

El Royal Viking parte.
SAS.
Contra las nubes traza el
mismo ondear de un estandarte.
La Argentina no se ve más.

Montevideo.
Después,
como una estrella rota en mil
pedazos, Punta del Este.
Y los pinos de Cantegril.

«La Gallarda»,
mi casa de verano junto al mar.
(No miro aquí por no llorar.)
Ya volamos sobre Brasil.
En Río,
no salió a verme Portinari,
quiero mucho a este gran pintor.
Es aún más que un hermano mío.
(Le pondré un telegrama cuando vuelva.)

Calor.

Volamos ya sobre la selva,
camino de Recife,
para al alba saltar
el oceano.

Desde el azul le doy la mano,
que ya no abro hasta Dakar.

Dakar, sórdido, rutilante.
La ola fresca desde la altura
y la tierra con calentura.

Y sobre su corteza,
la doblada belleza
animal
de los negros, con toda la tristeza
colonial.

La media luna nace sobre un ala
del avión. El cielo es rojo,
el mar morado,
y ya el sol, apenas el ojo
de un ahogado.

Dentro, en la casa voladora,
se habla inglés,
alemán,
sueco, español y portugués.
Poco diálogo en el cielo.
Yo sólo sé andaluz y un cuarto de francés.

Adivino que estamos frente a España,
en busca de Lisboa.
Allí suele tender la policía
del Caudillo su triste red de araña.

Vuelo nocturno sobre España.
Es de noche en España.
Está dormida, pero vela.
Sube hasta mí amarrado un fuerte aliento,
del que me llevo su candela.

Despertar violento
entre las cumbres y los finos
bosques helvéticos, nevados.
Y descender del viento,
en medio de los cisnes ginebrinos.

José Herrera Petere,
mi más tierno y alado
poeta geográfico me espera,
con dos chinos del consulado.

En Berna, en la Embajada,
ya se respira un
aire de flor embalsamado
de la China de Mao Tse Tung.

Lao Shing, joven poeta, nos pregunta:
¿Qué sucede en España?
Chen le traduce. Es su
lengua un susurro de bambú.
Lao Shing anota. Y,
mientras, por la pared, sobre la punta
de una rama amarilla
y carmesí,
se abre en pistilos una ardilla
de un discípulo de Chi Pai-shih.

¡Qué gran asombro nos espera!
Shing, adiós. Adiós, Chen,
flor de la cortesía.
Por la verde nevera
de Suiza, hacia Zurich, ya nos remonta el tren.

Buenas noches.
Un nuevo día.

Llueve.
Y la lluvia lava
lo que quedaba de la nieve.
No podemos volar hacia el Moldava.

Neblina. Compro los diarios
franceses. «France Soir»
habla ya del estreno
de «Le Repoussoir».
Grand succés de mi «Fábula
del amor y las viejas» en París.
¡Bien por madame
Kerjan
con su barba terrible
y por André Reybaz
que por mi obra hizo lo imposible!

Todo se me ilumina.
Mientras que la neblina,
más obstinada cada vez, apaga
por completo el paisaje.
Hasta las ocho de mañana no iniciará su viaje
el avión que sale para Praga.

En Zurich nuevamente,
para mirar llover.
Buenas noches, Aitana.
Feroz padre inclemente,
te llamaré al amanecer.

Por fin, volar,
después de haber perdido todo un día.
«Puede usted a la izquierda contemplar
Munich». Vana ilusión.
La neblina, aún más terca
que ayer, sigue tendiendo su telón.

Descendemos.
La tiniebla perdura.
Se prohíbe fumar.
Y como los arcángeles caemos
sobre Praga, desde la altura.
Para hoy mismo a las dos
continuar
por los helados aires y esos cielos de Dios
el vuelo hacia Moscú
y por fin
en el TU
104, llegar
tan sólo en nueve horas a Pekín.

Tomo el té entre las nubes,
servido de una joven moscovita.
El sol rompe la niebla
y la tierra se puebla
de una nieve infinita.

Comienza a oscurecer.
Y entre nimbos rojos de flores

se escucha en el zumbar de los motores:
Debut, les damnés de la terre!

Wilna. La infancia de Miczkiewicz,
el profundo poeta iluminado.
Por su batiente gloria derramo el primer vodka
en su suelo nevado.

Dentro de media hora,
las estrellas del Kremlin y el latido
de una alta estrella, abierta en cada aurora.

Ehrenburg en su dacha,
muy bueno y a la vez más malo que la quina,
a gusto se despacha
contra todos los males.
Fuera de sus cristales,
el bosque a 20 grados bajo cero.
Y dentro, plantas tropicales,
flores
de invernadero.

Polevoi
me cuenta divertidas historias de pintores.
Ríe como un soldado.
Día y noche batalla por un arte que hoy
el sol aún no ha deshelado.

Adiós, hermanos firmes, corazones
nuevos en este mundo desgarrado,
que sólo en vuestra muerte
clava sus ilusiones.
Adiós, Moscú, volveré a verte.

Nieva el viento terrones
de azúcar. Y en la nieve ya está el TU, fino y alto,
pez volador, bala marina,
para saltar de un salto
inmortal a la China.

Volamos ya sobre los ángeles.
Nos cantan las estrellas siberianas.

Y va el venablo alado,
entre un mudo repique de campanas,
por el cielo maravillado.

El TU gana las horas,
precipitando el día.
Cuando apenas la noche ha comenzado,
ya la más blanca y fría
de todas las auroras sube del otro lado.

Somos los héroes de la altura.
Silba el TU a diez mil metros su viaje
azul, sin movimiento.
Ya iba a ser una estrella fija en el firmamento,
sin más posible aterrizaje.
Pero hasta el mejor ángel es esclavo del viento.

En Pekín, tempestad
de nieve, que se yela
dura, sobre la pista
en donde la astronómica conquista
del TU por fin iba a cerrar su estela.

Y no caemos en Pekín
sino en el raso
campo yerto de Biela.
Ahora nuestro Pegaso
a propulsión
es un triste avión,
casi un burro que vuela
paso a paso.

Noche larga en Irkust,
para a la madrugada
partir a Ulam-Bator,
en la Mongolia aún más helada.
Gengiskán.
Soñolencia,
lento, monótono el paisaje
y la impaciencia
de dar fin
al viaje
y llegar a Pekín.

¡Pekín, Pekín! El aire se ilumina.
Y todo es ya como si el sol abriera
la sonrisa de China
en los labios de su bandera.

1

Sonríe China

China sonríe... ¡Qué gracia,
cuánta preciosa sonrisa!
Sonríe el alba... Y el sol
es una larga sonrisa.

Sonríe el agua... Y el campo
es una larga sonrisa.

Sonríe el niño... Y la estrella
es una larga sonrisa.

La mujer sonríe... El hombre
es una larga sonrisa.

China sonríe... Y el mundo
es una larga sonrisa.

Una nueva flor se ha abierto
en los jardines de China.

2

QUE SE ABRAN TODAS LAS FLORES

Se abran ya todas las flores,
y que revele el poeta,
libre y al fin sin temores,
hasta la flor más secreta
de sus campos interiores.

Se abran ya todas las flores.

Se abran ya todas las flores,
y canten por los jardines,
enguirnaldados y fieles,
los más opuestos colores:
el blanco de los jazmines
y el rojo de los claveles.

Se abran ya todas las flores.

Se abran ya todas las flores,
y una múltiple armonía
enlace por las corrientes
de los arroyos mejores,
en un alto mediodía,
la voz de todas las fuentes.

Se abran ya todas las flores.

3

POR LOS CAMPOS Y LOS CAMINOS

Aquí ya no se puede dar un paso que sea
inútil, dar un paso que no tenga sentido.
Si contempláis el suelo, no existe un pulgada
que no guarde la forma humana de una huella.

Veloz, todo se afana, todo se multiplica.
Nada, por más pequeño que sea, yace inmóvil.
Mirad. Tan solamente el sol de cada aurora
levanta mil millones de manos campesinas.

¡Qué vaivén! Bulle el agro. Se abren nuevos caminos
por donde se derrama la verde agricultura.
En esta nueva Arcadia ni el eco escucharía
los alternados cantos de los viejos pastores.

Aquí los musicales sones son los que dejan
el chirriar agudo de los carros repletos,
los inconmensurables bambúes arrastrados,
los frutos y los dones pródigos de la tierra.

Y eran pobres, vivían como bestias de carga.
Pero ya no es el látigo feudal quien los arrea,
no es el hambre sin rumbo ni fe quien los empuja,
sino el saberse dueños de su propio destino.

Tantos fueron soldados y tantos fueron héroes
de una sola bandera cuando la Larga Marcha.
Mas todos son los hijos del Primero de Octubre
y a todos por igual su luz los condecora.

Venid, los que dudéis, a ver este milagro.
No hay ya nubes que puedan confundiros los ojos.
Confesad, si os lastima. Gritad, si os apasiona.
Aquí ha nacido algo que ha de asombrar al mundo.

DE HANGCHOW A MUKDEN

1

Las colzas tienden retazos
de banderas amarillas
por los llanos y los montes.
Verde y gualda, toda China
es como un mantel de seda
encendida.
De pronto, el gris de las aguas,
y abiertas, en los sembrados,
las anchas velas tranquilas.

2

Los campesinos cultivan
sus muertos.
Junto al arado, sus muertos.
Entre la siembra, sus muertos.
Todo el año los cultivan.
Luego, en cada primavera,
las tumbas crecen, floridas.
Y un montecito es la muerte
y todo el campo la vida.

3

Grises las aldeas,
pálido el adobe,
pálidos los campos
del norte.

Las montañas, grises,
grises los pastores
y grises los cielos
del norte.

Largas tierras para
las buenas labores.
Grandes las cosechas
del norte.

Recuerdo Castilla,
sus azules montes,
sus ricos sembrados...
y sus hombres, pobres.

4

Paisaje duro, de piedra.
Pero el campesino rasca
la roca dura y la siembra.

La mano es fuerte. No hay nada
que resistírsele pueda.

China sembrará hasta el cielo.
Y vendrá un día en que lluevan
grandes torrentes de trigo
las estrellas.

5

Batalla el hombre del campo
por la tierra.

Cruje los huesos, traspira.
¡Qué ingrata la tierra entonces
para sus caricias!

Mas cuando es suya la tierra,
entonces, ¡qué blandamente
se le entrega!

Batallad, hombres del campo,
por la tierra.

6

A veces, los horizontes
se pierden. Y no se sabe
en dónde China se acaba.
Nadie. Sólo el infinito.
Pero de pronto, a lo lejos,
una casa.
Y en la casa, una bandera
con cinco estrellas que cantan.
Y todo, aunque no haya nadie,
se puebla y canta.

ABIERTO A TODAS HORAS

(1960-1963)

EL OTOÑO OTRA VEZ

1

También yo ladraría. ¿Quién no ladra
después de tantos años de hablar solo
tan cansado lenguaje conocido?
Otros seres acaso
podrían entenderme mejor, porque este idioma
que se escapa de mí ya no me vale
para dar con más luz lo que quisiera.

2

Este bosque, este bosque
es igual que otros bosques.
Y, sin embargo, yo quizás quisiera
estar en otros bosques.

3

Era alta y verde. Tenía
largas ramas por cabellos,
con hojas rubias, perennes.

Toda ella
siempre andaba en primavera.

Me pregunto ahora, lejos,
perdido entre tantos muertos:
¿Le habrá llegado el otoño?
Y si alta y verde era siempre,
¿cómo
podrá ser ella en otoño?

4

Miro la tierra, aíslo
en mis ojos, atento, una pulgada.
¡Qué desconsolador, feroz y amargo
lo que acontece en ella!

5

De pronto, el sol irrumpe entre las nubes
para echar una rápida ojeada
y quedarse tranquilo.
                    Llovió poco.
Saldré al instante y quemaré las últimas
hojas verdes que aún tiemblan en los árboles
y apuraré la copa del otoño.

6

Los dos perros me miran.
Algo pasa.
Tiemblan, mudos. Me miran.
Algo pasa.
Yo les miro. Me miran.
No se mueven. Me miran.
Algo pasa.

7

Otoño silencioso de este bosque,
¿me estoy desvinculando de la patria,
alejando, perdiéndome?
Haz que tus hojas, que se lleva el viento,
me arrastren hacia ella nuevamente
y caiga en sus caminos
y me pisen y crujan
mis huesos confundiéndose
para siempre en su tierra.

8

Nada se escucha y nada
se ve. Parecería
que todo se ha marchado
o que nada ha existido.
¿En dónde estoy, pregunto,
pero a quién, si no puede
nadie oírme, si nada
podrá verme en la nada?

9

Espero el desprenderse de mí el verso
como el árbol de otoño
espera el desprenderse de la hoja.

10

Alguien o muchos pensarán: —¡Qué inútil
que ese poeta hable del otoño!
—¿Cómo no hablar, y mucho y con nostalgia,
si ya pronto va a entrar en el invierno?

11

Pero no estás vencido,
no, no, como esta tarde
ya derrotada, hundida, contra el polvo.
Cuanto más la golpea la noche con su espada
mortal, tú vas subiendo,
tú te vas incendiando
—¡ay, a tus años, a tus muchos años!—
como un joven demonio entre las sombras.

12

¿Verdad que no te has ido, que te tengo,
que estás aquí? Respóndeme.
¿Verdad que tu verdor, que tus sonantes hojas,
que tu armoniosa frente estremecida,
que tus cálidos aires vencedores,
tu enamorado frenesí, tus anchos
mares físicos, ciegos oleajes,
andan conmigo, riegan mis arterias,
dan a mi corazón ese arrebato,
ese fuego invasor, como hace tiempo?
¿Verdad que sí, verdad que sí? Respóndeme
en esta noche oscura del otoño.

13

Quisiera que estos árboles, plantados por mi mano,
crecieran por lo menos cada día
la altura de una hoja.
Me he de marchar —¡ay! ¿cuándo?—
y quedarán aún niños pequeños.

14

Es muy triste esperar que llegue el verso,
que aparezca el poema
y ver que en su lugar arriba alguien...
o algo que para siempre nos lo aleja.

15

Viniste al bosque, mientras te buscaban
para prenderte... Tú nada sabías.
En diferente clima, a tantos miles
de leguas de tu casa verdadera,
eran, eran los mismos,
los oscuros y tristes de otros años.
Tú escuchabas caer las hojas en la noche,
mientras ellos corrían como ratas,
de tiniebla en tiniebla, en busca de los otros.

16

Se agranda el corazón hasta ya no caberme
en medio de los muros estallantes del pecho.
¡Oh, qué tremendo mar
llega para arrancármelo y clavarlo,
a empujones de olas, nuevamente,
en el lugar que —¡ay!— no debió dejar nunca!

17

Solo y abandonado de mis perros,
el otoño me invade lentamente.
Diana murió a la puerta de la casa.
No sé cuál fue su muerte.
Sé que se la llevó el agua de la acequia.
y la dejó en la noche al pie de un árbol.
Vive aún, enterrada en mi jardín,
a la sombra del álamo
donde también descansa el otro fiel amigo:
Alano.

18

Como puntas sangrantes de lanzas rueda el viento
del otoño las hojas de los robles.
Se oyen ayes de heridos entre el polvo
cárdeno de la niebla
y un ulular de carros guerreros y, de súbito,
un silencio profundo y nuevamente el viento
solitario, en la niebla, del otoño.

19

El otoño se va, pisoteado.
Su cabeza encendida ayer, es hoy apenas
una pálida brizna de lodo yerto uncido
a las ruedas gimientes de los carros
o a las plantas heladas
de los oscuros caminantes. Sólo,
desnudos contra un cielo indiferente,
se alzan sus pobres brazos implorando
misericordia al viento del invierno.

DE NUEVO EL MAR Y OTRAS CANCIONES

1

Sé que estoy en el mar y, sin embargo,
hoy no escucho su voz, hoy no me llega
ni siquiera el respiro de una ola.
¿Qué será este silencio que se oculta
en este prolongado mutismo, en este sueño
o en esta acaso verdadera muerte?

2

Voy por los arenales luminosos. Mi sombra
me parece más joven. Yo diría
la misma de hace tiempo: más morada,
más juvenil y trasparente. Era
la de mis quince años. Los cabellos
no blanqueaban como ahora. Toda
mi sombra parecía sólo de luz. Cantaba
como la sombra sabe hacerlo cuando
el corazón es como el mar, es como
cuando apenas su sombra no es su sombra.

3

Toco la arena no pisada. El viento,
instantáneo, borrando va mis huellas.
¿Qué ha sucedido en mí?
Nadie lo sabe.

4

Verdezca siempre la alegría
con el sol de la primavera.

Motivos hay para estar triste,
a pesar de la primavera.

La sangre corre por el mundo
y ha llegado la primavera.

En libertad anda la muerte,
a pesar de la primavera.

¿En dónde la verde alegría,
si un mal viento la torna negra?

¿Será la muerte necesaria
para implantar la primavera?

5

¿Quién puede hoy ya, tranquilo,
contemplar los jardines, enamorar la flor?
¿Cómo hablar de ti, rosa,
de ti, pequeño ruiseñor?

¿Quién puede hoy ya, tranquilo,
decir: Amor?

Si miro al cielo: ¡Ay!
Si miro al mar: ¡Dolor!

La tierra está de sombra...
aunque la luz soy yo.

6

¡Y pensar
que cantar por cantar
como un pájaro ciego,
tierra, sin sostenerte,
puede llegar a ser un triste juego,
cómplice de la muerte!

CUADROS, RÍO, TRENES, AVIONES...

Melancólicamente, tristemente.
¿Por qué? Lo sé. ¿Lo digo? No lo digo...

Pintura inglesa: Stubbs, Gainsborough, Reynolds...
¡Qué aburrimiento frío!
Un tren –Turner (¡Mejor!)– pasa entre las barandas
de mi balcón de-mira-al-río.

Chardin. Los instrumentos
musicales. Relojes, sin sonido.
Pipas y vasos. Liebre
junto a un perol de cobre. ¡Qué tranquilo,
qué dulce el mundo de estas vivas cosas
inanimadas! Miro
la calle, el cielo, el humo de las fábricas...
el frenazo del auto... el mundo mío.
Entre las nubes y el hollín, brillante,
un raro insecto, digo, un autogiro...

Liotard, Nattier, Rowlandson, Watts... Prefiero
un mínimo velero,
lejano, entre las grúas –¡adiós!–, como un pañuelo.

RESPUESTA AL POETA EDUARDO GONZÁLEZ LANUZA, AL CUMPLIR MIS SESENTA AÑOS

Quisiera aquí esta noche y en tercetos
al itálico modo y mano a mano,
rotos diques, murallas, parapetos,

libre la lengua sobre campo llano,
decir cómo a ningún santanderino
nunca le tuvo miedo un gaditano.

Este ha sido estos años mi destino:
no callar y seguir abiertamente,
entre flores y espadas, mi camino.

Así te digo, Eduardo, claramente,
que cuando vine aquí yo no sabía
si ibas a degollar a un inocente,

si tu facón relampaguearía
un responso en honor de un adversario
o una Oda en honor de la Alegría.

No porque sea ya un sexagenario,
que alza bien alto su cabeza cana,
he de pedir incienso al incensario.

Prefiero la verdad más lisa y llana,
el preciso aguijón y hasta la ofensa,
al aire vano de la flor ufana.

No suscito ninguna recompensa.
Sólo el amor que por lo humano siento,
del odio duro y triste me compensa.

Yo nunca he sido un viento contra viento,
pero si un huracán quiere tumbarme,
resistiré mi desmoronamiento.

El que me busque siempre ha de encontrarme,
claro en la luz si viene por la vida
y también en la luz, si por matarme.

No tengo yo la culpa que me pida
el duro tiempo que tocó a mi suerte
tener el alma por un pelo asida,

ni de que cada día me despierte
centrado entre el clavel y entre la espada,
la vida en vilo al filo de la muerte.

No quisiera vivir en escapada,
no me fuera posible aunque quisiera,
yo soy un hombre de la madrugada,

comprometido con la luz primera.
Me pide el sol que cante en cada aurora,
y yo no puedo al sol decirle «espera».

Y si mi canto a veces se demora
y no le ayuda a conseguir el día,
yo me siento morir en cada hora,

ciego en lo oscuro de la sombra mía,
solo y perdido, triste y desterrado
del centro de mi propia poesía.

Gracias, Eduardo, por haberme dado
réplica, sin saber tu pensamiento,
y por ser un posible degollado

de tu facón, sobre mi cuello atento.
Gracias por todo, por tu lira plena,
alta morada sin allanamiento,

y por estos tercetos en cadena,
que al muy difícil modo italiano,
con llama que consume y no da pena,

hizo a un santanderino un gaditano.
Y gracias porque en suelo ya tan mío
como tuyo se puede ser hermano

y hablar sin que la sangre llegue al río.

ROMA, PELIGRO PARA CAMINANTES (1964-1975)

A Giuseppe Gioachino Belli, homenaje de un poeta español en Roma.

SONETOS

1

Lo que dejé por ti

Dejé por ti mis bosques, mi perdida
arboleda, mis perros desvelados,
mis capitales años desterrados
hasta casi el invierno de la vida.

Dejé un temblor, dejé una sacudida,
un resplandor de fuegos no apagados,
dejé mi sombra en los desesperados
ojos sangrantes de la despedida.

Dejé palomas tristes junto a un río,
caballos sobre el sol de las arenas,
dejé de oler la mar, dejé de verte.

Dejé por ti todo lo que era mío.
Dame tú, Roma, a cambio de mis penas,
tanto como dejé para tenerte.

Ah! cchi nun vede sta parte de monno
Nun za nnemmanco pe cche ccosa è nnato.

G. G. Belli

2

Campo de'Fiori

Perchas, peroles, pícaros, patatas,
aves, lechugas, plásticos, cazuelas,
camisas, pantalones, sacamuelas,
cosas baratas que no son baratas.

Frascati, perejil, ajos, corbatas,
langostinos, zapatos, hongos, telas,
liras que corren y con ellas vuelas,
atas mil veces y mil más desatas.

Campo de'Fiori, campo de las flores,
repartidor de todos los colores,
gracia, requiebro, luz, algarabía...

Como el más triste rey de los mercados,
sobre tus vivos fuegos, ya apagados,
arde Giordano Bruno todavía.

Sonajji, pennolini, ggiucarelli,
E ppesi, e ccontrapesi e ggenitali...

G. G. Belli

3

Si proibisce di buttare immondezze

Cáscaras, trapos, tronchos, cascarones,
latas, alambres, vidrios, bacinetas,
restos de autos y motocicletas,
botes, botas, papeles y cartones.

Ratas que se meriendan los ratones,
gatos de todas clases de etiquetas,
mugre en los patios, en los muros grietas
y la ropa colgada en los balcones.

Fuentes que cantan, gritos que pregonan,
arcos, columnas, puertas que blasonan
nombres ilustres, seculares brillos.

Y entre tanta grandeza y tanto andrajo,
una mano que pinta noche abajo
por las paredes hoces y martillos.

Lui quarche ccosa l'averà abbuscata,
E ppijjeremo er pane, e mmaggnerete.

G. G. BELLI

4

PASQUINADA

Te quiero imaginar, señor Pasquino,
como siempre, lanzando puteadas,
siendo hoy el blanco de tus pasquinadas
un tal Alberti que hasta Roma vino.

—Dicen que es español, que es florentino,
que de andar las pelotas tiene hinchadas
y que expuestas serán y subastadas
desde Piazza Navona al Aventino.

Dicen que viene con las pretensiones
de coronarse emperador romano
y sentarse en la silla gestatoria

y que para evitar aclaraciones
anda con una loba en una mano
y en la otra mano una jaculatoria.

—Basta, señor Pasquino, porque advierto
que lo que me atribuyes es muy cierto.

La verità la dico cruda e ccotta...

G. G. Belli

5

¿Qué hacer?

Roma te acecha, Roma te procura,
a cada instante te demanda Roma,
Roma te tiene ya, Roma te toma
preso de su dorada dentadura.

Quieres huir, y Roma te tritura,
no ser, para que Roma no te coma,
pero Roma te traga, te enmaroma
y hunde en su poderosa arquitectura.

¿Qué hacer, qué hacer, oh Roma, en tal estado,
ingerido por ti, desesperado,
nula la lengua, nulo el movimiento?

Si tanta admiración por tanto arte
le sirve a Roma para devorarte,
pasa por Roma como pasa el viento.

Voi sete furistiere, e nnun zapete
Come a Rroma se cosceno le torte...

G. G. Belli

Rafael Alberti en el jardín del palacio de La Farnesina, Roma, 1970

Foto J. Corredor-Matheos

6

Nocturno

A Ramón del Valle-Inclán

Te hablo aquí desde Roma, dios endriago,
hoy por tan malas manos mal traído,
trasgo zumbón, demonio aborrecido,
chula navaja, rústico zurriago.

Clava tu luz en mi nocturno aciago,
afila mi colmillo retorcido
y no me dejes cariacontecido
a la mitad de tan amargo trago.

Yaces tú allí, yo aquí, aún en destierro,
gato en la noche y por el día perro,
solo bajo esta lápida romana.

Deja al fin tu galaica sepultura
y ven conmigo en esta noche oscura
a esperar cómo sube la mañana.

7

Respuesta del tiempo

A Bertolt Brecht.

Hoy mis ojos se han vuelto navegantes
de los profundos cielos estrellados.
Miran y ven pasar maravillados
los terrestres satélites errantes.

Nacidos de los hombres, trajinantes
obedientes a todos sus mandados,
son para los espacios desvelados
los caballeros de la luz andantes.

Así, regidos, cumplen las alturas
y las más rigurosas aventuras,
según le impulse el hombre su deseo.

Y en las romanas noches de verano,
se les siente reír del Vaticano
que hundió en la noche oscura a Galileo.

8

VIETNAM

Lo grito fuerte desde Roma: ¡Afuera!
Afuera esos fusiles y cañones,
esos cohetes, esos aviones,
esa bandera extraña, esa bandera.

Afuera el que en la paz tan sólo espera
invadir por la paz otras naciones
y planta por la paz sus pabellones
y pide por la paz la tierra entera.

Triste paz tan traída y tan llevada,
triste paloma tan apuñalada
que se puede morir tan de paloma.

Pido la única paz, la verdadera,
la paz de un solo rostro, antes que muera,
¡Pido la paz! Lo grito desde Roma.

VERSOS SUELTOS, ESCENAS Y CANCIONES

1

NOCTURNO

La otra noche vi...
¿A quién vi?

A quien me ha mordido,
a quien me ha comido
la vida yo vi.

En un charco oscuro,
allí estaba, oscuro,
mirándome, hinchado,
pequeño e hinchado.
Allí.

¿Qué haces aquí en Roma?
¿Es que ha muerto Roma?
Di.

No infectes el aire.
Deja libre el aire.
Si te empujo al río,
se pudrirá el río.
¡Fuera de aquí!

Gorgojo, piojo,
hinchado gorgojo,
nadie te dio muerte.
¿Quién te dará muerte
a ti?

La otra noche vi...
No digo a quien vi.

2

1

Otoño en Roma. Empieza a coincidir
el oro de las hojas de los árboles
con el dorado de la arquitectura.

2

Alza los hombros Roma más que nunca
cuando llega el otoño.

3

Llega el otoño. El Papa
se marcha con las hojas a Nueva York. San Pedro
vaga cantando:
—Al fin, ¡solo en el Vaticano!

4

Venus de otoño, pálida y perdida
sobre los pinos altos del Gianicolo.

5

Los castaños de Roma en el otoño
desprenden sus erizos sobre el Tíber.

6

Pienso en Keats muerto en Roma
y siempre amortajado entre violetas.

7

Tú estás en Roma, sí. Pero tú piensas,
casi todos los días,
que no lo estás. Ahora, por ejemplo,
que es el otoño aquí,
aunque allí ya llegó la primavera,
piensas que estás allí.

3

NOCTURNO

Está vacía Roma, de pronto. Está sin nadie.
Sólo piedras y grietas. Soledad y silencio.
Hoy la terrible madre de todos los ruidos
yace ante mí callada igual que un camposanto.
Como un borracho, a tumbos, ando no sé por dónde.
Me he quedado sin sombra, porque todo está a oscuras.
La busco y no la encuentro. Es la primera noche
de mi vida en que ha huido la sombra de mi lado.
No adivino las puertas, no adivino los muros.
Todo es como una inmensa catacumba cerrada.
Ha muerto el agua, han muerto las voces y los pasos.
No sé quién soy e ignoro hacia dónde camino.
La sangre se me agolpa en mitad de la lengua.
Roma me sabe a sangre y a borbotón la escupo.
Cruje, salta, se rompe, se derrumba, se cae.
Sólo un hoyo vacío me avisa en las tinieblas
lo que me está esperando.

EL AGUA

1

El agua de las fuentes innumerables. Duermo
oyendo su infinito
resonar. Agua es
aquí en Roma mi sueño.

2

Sigue charlando el agua de las fuentes
completamente ajena
a todo, indiferente.
Lo que dice es tan sólo lo que suena.

3

Agua de Roma para mi destierro,
para mi corazón
fuera de sus dominios tantas veces.

4

Agua de Roma para mis insomnios,
esos largos oscuros en que pueblo los techos
de mí, mudas imágenes,
que apenas si conozco.
Agua para los pobres, los mendigos,
esos que se abandonan al borde de las fuentes
y se quedan dormidos.
Agua para los perros vagabundos,
para todas las bocas sedientas, de pasada,
agua para las flores y los pájaros,
para los peces silenciosos, agua
para el cielo volcado con sus nubes,
con su luna, su sol y sus estrellas.
Pero por sobre todo,
agua sólo sonido, repetición constante,
agua sueño sin fin,
agua eterna de Roma.
Agua.

1

Sería tan hermoso...

Sería tan hermoso estar —aquí— tranquilo,
el mundo en paz con todo,
escuchando esta fuente en la mañana
sin pensar que su voz abierta y pura
cae para mí quebrada en mil lamentos,
que en sus diez inhibidos surtidores
para mí se estremece un mar de sangre.

¡Oh cerrado jardín inmóvil que me ofrece
tanta apariencia de sosiego, tanto
anhelo de una vida
calma por fin, por fin, por fin serena!

Mas no es así, pues oigo
en el más leve céfiro que roza
las flores y los árboles
un resonar de carros armados, un estruendo
de muerte descendida de los cielos, llegada
de todas partes, una
larga noche de heridos y doblados
para siempre en la tierra.

2

Estrofa para un monumento a los héroes de la resistencia

A Federico Brook, escultor.

Erguidos aquí, al día, levantados
a la noche, a los vientos de la patria,
no estamos muertos, no,
podéis hablarnos,

escucharnos, seguirnos,
los que nos rodeáis a todas horas
o los que caminando detenéis
el paso, aquí, un momento.
Más que el bronce o la piedra, duraderos
más que los tiempos que vendrán, así
nuestro sencillo ejemplo luminoso,
nuestra orgullosa servidumbre.
Y no habrá olvido y no habrá mano triste
que pueda sepultarnos,
porque aquí estamos vivos, porque somos
la misma tierra que nos da el aliento.

3

TÚ NO HAS LLEGADO A ROMA PARA SOÑAR

Tú no has llegado a Roma para soñar. Al cabo
de no sé cuánto tiempo, te preguntas: ¿Qué haces
rompiéndote los pies contra las piedras, yéndote
de pecho y de cabeza contra los muros, dándote
a todos los demonios por las sombras, royendo
tu propia vieja carne hasta llegar al punto
en que los huesos mondos aparecen al aire,
mientras que te devanas alrededor de ti,
sabiendo lo que esperas, aunque no llega nunca?
Tú no has llegado a Roma para soñar. Los sueños
se quedaron tan lejos, que ya ni los divisas,
ni ellos te buscan ya, pues ya ni te conocen.

4

Cuando me vaya de Roma

A Ignazio Delogu.

Cuando me vaya de Roma,
¿quién se acordará de mí?

Pregunten al gato,
pregunten al perro
y al roto zapato.

Al farol perdido,
al caballo muerto
y al balcón herido.

Al viento que pasa,
al portón oscuro
que no tiene casa.

Y al agua corriente
que escribe mi nombre
debajo del puente.

Cuando me vaya de Roma,
pregunten a ellos por mí.

Rafael Alberti en la plaza de Antícoli Corrado, 1971

Foto J. Corredor-Matheos

5

El poeta pide por las calles

Señores, para el camino
dadme un vaso de buen vino.

He venido gentilmente
aquí, sin pediros nada,
a hablaros valientemente
como un poeta en la estrada
tantos años peregrino.

Señores, para el camino
dadme un vaso de buen vino.

Pobre soy para pedir,
mas soy rico para daros,
a los que queráis oír,
la luz que puede salvaros
de tanto oscuro asesino.

Señores, para el camino
dadme un vaso de buen vino.

Y también la lozanía
y el ejemplo que da el mar,
que con su caballería
se le ve siempre avanzar
en un solo torbellino.

Señores, para el camino
dadme un vaso de buen vino.

Vengo y voy, casi en la meta
de mi ruta ajetreada,
como un perdido cometa
que entre el clavel y la espada
reaparece repentino.

Señores, para el camino
dadme un vaso de buen vino.

Dadme un vaso, a condición
de que conmigo brindéis
y de que nunca olvidéis
el vino de esta canción,
vino de mi corazón
que se va por donde vino.

Señores, para el camino
dadme un vaso de buen vino.

POEMAS CON NOMBRE

(escritos en Roma.)

1

UGO ATTARDI, PINTOR

(España hoy)

Siempre habrá que nombrarte, España, hablar de ti,
trayéndote a la boca,
con amor o con ira,
en cualquier parte donde esté, ya sea
como aquí, hoy, en Roma, ante esta imagen tuya,
esa que no quisiera que existiese
ni en el más triste oscuro de los sueños.
No han bastado, no bastan treinta años
para que el mar no sea el de la sangre
y esos premeditados disparos, esas súplicas
no trastornen tu rostro en el sereno
clarear de un buen tiempo merecido.
¡Lejos de ti esas caras
de pálidos a fuerza
de tan largas condenas a no mirar la luz!

¡Lejos ya para siempre esa insomne pupila
tras de las cerraduras,
esas puertas que se desploman como losas
de sepulcros en donde
vidas humanas menos que gusanos
claman y pugnan en tu muda noche
por ser oídas de tus ecos sordos!
¿Hasta cuándo, hasta cuándo esta visión siniestra,
este helado desvelo sin piedad, estos clavos,
esta herida sin fin, esta agonía,
exhibición constante de tu muerte?
Y sin embargo vives, tú estás viva,
hay signos en tu cielo, clamorosas
señales fulgen de tus lentos ojos,
aunque tu sola imagen todavía
es la crucificada que nos trae
cada mañana el viento.

2

EMILIO VEDOVA, PINTOR Y GRABADOR VENECIANO

Alto y fiero gigante,
ogro marino de Venecia,
con tus barbas de algas agitas los canales,
el viento en las terrazas,
en las torres, las cúpulas.
Temido más que un dios
provocador capaz de destruir los puentes
y hacer subir el mar de las inundaciones,
presides la ciudad, que a la vez que se hunde
emerge cada día de la espuma,
pura y maravillosa putana del Adriático.
Con la miseria, con el grito,
con las heridas infectadas de moscas,
con el llanto,
con los cerrojos y rejas de las cárceles,
con las noticias de la madrugada,
con los periódicos pisoteados en el barro,
con los asesinados en las calles,

con la esperanza en la alegría que no llega,
con los torturados y muertos
en Biafra,
en Chile,
en Vietnam...
con la furia, la cólera de la revolución,
con la angustia diaria por el sueño de la libertad,
con el amor, con la ternura,
con la fe en el hombre y el odio contra el hombre que odia
[al hombre,
tú, Vedova terrible y agitado, inundas tus espacios,
los abres y los llenas de tus signos mordientes,
tus movimientos sísmicos de imágenes de un mundo destro-
[zado,
ciego de oscura luz, de fustigada luz de nuestro tiempo.

3

VITTORIO BODINI

Tú no estás muerto, oigo,
oigo siempre tu risa,
tu paso roto a veces en la calle de noche,
el brazo tuyo,
tu amistad tan clara,
poeta que en mi lengua repetíamos
tantas cosas iguales
del corazón, hermano,
hermano trágico,
de inmerecido fin tan pronto, ahora,
ahora que tocabas,
que se oía
la plena cima de tu voz, trazando,
hendiendo en el oscuro
su perdurable signo luminoso...

Para Antonella.
Diciembre 1971.
Roma.

LOS OCHO NOMBRES DE PICASSO
Y NO DIGO MÁS QUE LO QUE NO DIGO

(1966-1970)

1

Tú hiciste aquella obra

Tú hiciste aquella obra y le pusiste un título.
Ése y no otro. Siempre,
desde el primer llanto del mundo,
las guerras fueron conocidas,
las batallas tuvieron cada una su nombre.
Tú habías vivido una:
la primera más terrible de todas.
Y sin embargo, mientras
a tu mejor amigo, Apollinaire,
un casco de metralla le tocaba las sienes,
tu desvelada mano,
y no a muchos kilómetros de lo que sucedía,
continuaba inventando la nueva realidad maravillosa
tan llena de futuro.

Pero cuando después,
a casi veinte años de distancia,
fue tocado aquel toro,
el mismo que arremete por tus venas,
bajaste sin que nadie lo ordenara
a la mitad del ruedo,
al centro ensangrentado de la arena de España.
Y embestiste con furia,
levantaste hasta el cielo tu lamento,

los gritos del caballo
y sacaste a las madres los dientes de la ira
con los niños tronchados,
presentaste por tierra la rota espada del defensor caído,
las médulas cortadas y los nervios tirantes afuera de la piel,
la angustia, la agonía, la rabia y el asombro de ti mismo,
tu pueblo,
del que saliste un día.
Y no llamaste a esto
ni el Marne ni Verdun ni ningún otro nombre merecedor del
[recuerdo más hondo
(aunque allí la matanza fue mucho más terrible).
Lo llamaste Guernica.
Y es el pueblo español
el que está siempre allí,
el que tuvo el arrojo de poner en tu mano
esa luz gris y blanca que salió entonces de su sangre
para que iluminaras su memoria.

2

TÚ SALISTE DE ALLÍ...

Tú saliste de allí, pero tu cuna
allí se mece todavía
llena de arenas, pájaros, mugidos, caracolas.
Conserva aún el molde de tu forma inicial,
la huella de tu primer aliento.
Todo lo que le debes allí canta
mecido por la luz y por las olas.
Allí todo quedó tal como lo dejaste.
Y sin embargo aquella emanación, aquel aroma
trasminan siempre
y vuelan desprendidos a diario en tu busca
y es su sal, es su gracia, su burla, su violencia
los que aún te alimentan y sostienen.

¡Afuera esos ojos!
¡Quítenme esos ojos!
¿Quién trajo esos ojos?
Yo quiero ser flor.
Pero soy un pez.
Yo quiero ser pez.
Pero soy manzana.
Quiero ser sirena.
Pero soy un gallo.
Quiero ser la noche
y soy la mañana.

Reproducción facsímil de una estrofa caligrafiada, de su libro «Los ojos de Picasso». Roma, 1966

Foto Archivo Espasa-Calpe

3

Cuando yo andaba junto al mar

Cuando yo andaba junto al mar de Cádiz,
huyendo del latín y la aritmética
y pintando veleros sobre un azul rabioso,
nada sabía de ti
y sin embargo
eras ya desde hacía mucho tiempo
el absoluto escándalo, la pura libertad,
el pincel como escoba barredora que abría
paso a la nueva luz en los atónitos
lienzos intactos, tensas superficies.
Sólo ahora,
junto a tu mar de Antibes, después de tantos años,
estoy pensando en esto.

4

Paz

De todas las palomas hubo una que se fue por el mundo.
Todavía
sigue girando alrededor del sol
al compás de la tierra.
Vuelo sin dueño, siempre amenazado.
¿Volverá alguna vez
al viejo palomar de donde salió un día?

CANCIONES DEL ALTO VALLE DEL ANIENE

(1967-1972)

DIARIO DE UN DÍA

1

A Babucha no le gusta el jardín, quiero decir, las piedrecillas de la alta terraza sobre el valle, piedrecillas rodadas, rechinantes de los ríos que ella, con lo tonta que es, no sabe han visto el agua verde, han sentido alisarse, pulirse por el paso constante de sus labios corrientes antes de incrustársele ahora entre los dedos de las patas.

Las malvas. En el patio jardín del monasterio de Santo Domingo de Silos, se alzaban unas como ciriales, que iluminaban el histórico y único ciprés. Éstas ciñen y alumbran al audaz y valeroso olivo que ha trepado hasta nuestra terraza.

El Buco –nuestra gatita romana de nombre masculino– desde el estrecho filo de la terraza se asombra de los mulos que pasan por la calleja que cuelga sobre el valle. No sé qué haría con ellos. Quizás lo mismo que con los pollos y gallinas que a todas horas sigue con fascinación desde lo alto. Pero no serían un bocado tan fácil.

Oigo la voz del tren.
Y no lo veo.
Se llena el valle de un arrastre largo.
Serpiente de metal que no se ve,
acelerada cola peligrosa, invisible.
Luego, un vacío sordo.
Canta un mirlo.

Silencio. Un silencio alarmante. ¿Qué sucede? ¿Será posible? Nada pasa en el silencio este que lo ignora todo. Pero... Silencio. Espera. Atiende. Voy a hablarte. Mas te pido, te lo suplico a gritos: no me oigas. Sigue siendo silencio, para mí, como eres. Morirías totalmente si yo llegara a despegar los labios.

Me remuerde la soledad.
Pero escucho mejor,
me oigo temblando en ella
y me preparo, me ejercito en ella
para todas las cosas que me llaman
ya fuera de su ámbito.

2

Abro el diario. ¡Qué infinita angustia!
¡Qué dolor de mirar tranquilamente el campo,
el cielo inocentísimo de angélicos azules,
el valle solo con el río oculto,
montes de higueras y de olivos que abren
al viento en paz los brazos...!
¡Oh, cuánta angustia, qué remordimiento
vivir solo un minuto
sin hacer nada por parar la muerte,
la muerte inmune, libre
para matar, las armas en la mano!

3

Tanta luz, es verdad, destruye todo.
Cae como un inmenso
polvo resplandeciente,

borrando los perfiles, diluyendo
las formas, los volúmenes,
dejándonos
como una nebulosa fulgurante
que nos hubiera traspasado el sueño.

4

Murallas altas los montes.
Murallas.

Negras nubes, en ejército,
con el viento grande avanzan.

Dios de los truenos, ¿qué soy,
solo y perdido en el valle,
en medio de esta batalla?

5

Dejaste de pintar. ¡Oh, cuánta angustia
mirar ahora los pasados años
sin un color, sin una sola línea
que prolongasen armoniosamente
aquellos tan dichosos
de tu prometedora adolescencia!

6

Será tarde. No es tarde.
Nunca es tarde.
Sí, pero el tiempo, el tiempo...
Al tiempo lo derrotas
arrebatando al sueño
tantas horas vacías
de innecesario sueño.

7

Federico.
Voy por la calle del Pinar
para verte en la Residencia.
Llamo a la puerta de tu cuarto.
Tú no estás.

Federico.
Tú te reías como nadie.
Decías tú todas tus cosas
como ya nadie las dirá.
Voy a verte a la Residencia.
Tú no estás.

Federico.
Por estos montes del Aniene,
tus olivos trepando van.
Llamo a sus ramas con el aire.
Tú sí estás.

8

Agua redonda, inmóvil,
con los árboles dentro
derramando el cielo de la noche
enredada en sus ramas.
Estoy quizás en donde nunca estuve,
sombras blancas,
leves, tenues sonidos,
susurradas palabras de muy lejos,
gargantas fallecidas,
secos labios de arenas calurosas,
heladas en lo oscuro.
Suspenso estoy, llevado por los aires
a un momento o jardín que no pude habitar
y ahora me creas
y haces vivir en él,
agua redonda, inmóvil,
cielo estrellado ya,
reflejo tuyo,
mudas, nocturnas ramas sumergidas.

9

Al olivo le creció
una rama
más alta que las demás.
Solo ella
con sus aceitunas nuevas
puede contemplar el valle.

Yo,
sólo a ella.

10

Yo bien sé que hay la guerra,
que por otros valles
está muriendo la gente.
Pero dejadme.
Dejadme sólo un momento
que me lleve, sin memoria,
lejos, este aire.

11

Se quedó el pueblo vacío.
Le entró el otoño.

Subió de pronto los montes
y se presentó en la plaza.

Soy el otoño.

Los viejos lo contemplaron
con tristeza y los más jóvenes,
bajando al valle, se fueron.

OTROS VERSOS

1

ALGO DE JOSÉ CABALLERO 1970, PINTOR

Sangriento Agamenón,
la guerra es fango
y piedra de tormentas
y luna de dos fríos por la ardiente
amarilla llanura infranqueable
—océana marina— como un muro.
Siempre, siempre salpica la sangre de los toros
y hay madera quemada
y verte, Federico, y ya no verte, Ignacio,
y el plomo, Federico, como plata ya muerta,
sin luna de dos fríos en la larga
oscura noche de Nazin Hikmet.
La guerra es fango y luto
por un desconocido personaje en la noche
de los vencidos, ay, la gran vigilia
de aquel mil novecientos treinta y seis
y un Felipe cualquiera pudriéndose, un segmento
de círculo, alumbrando a Kheops, ya pirámide.
Relieves planetarios,
superficies lejanas,
solo vistas por ti,
aradas solamente por tu mano,
con sus campos y ríos
que no sabemos, cráteres y ojos.
Pintura repujada, giradora, platos
y mundos voladores ardiendo de escrituras,
en negro puro, en grises plateados,
en azules metálicos y tierras
achicharrados, rojos violentos,

minas de acero y de carbón y oro
y blancos naturales
de un andaluz febril y vagabundo
por espacios perdidos... y además otras cosas
que no he podido ver ni puedo todavía
porque vivo muy lejos...

2

MILLARES 1965, PINTOR

En Roma o en París,
Nueva York, Buenos Aires, Madrid, Calcuta, El Cairo...
en tantísimas partes todavía,
hay arpilleras rotas,
destrozados zapatos adheridos al hueso,
muñones, restos duros,
basuras calcinadas,
hoyas profundas, secos
mundos de preteridos oxidados,
de coagulada sangre,
piel humana roída como lava difunta,
rugosidades trágicas, signos que acusan, gritan,
aunque no tengan boca,
callados alaridos que lastiman
tanto como el silencio.
¿De dónde estos escombros,
estos mancos derrumbes,
agujeros en trance de aún ser más agrandados,
lentas tiras de tramas desgarradas,
cuajados amasijos, polvaredas de tiza,
rojos lacre, de dónde?
¿Qué va a saltar de aquí, qué a suceder,
qué a reventar de estos violentos espantajos,
qué a tumbar esta ciega, andrajosa corambre
cuando rompa sus hilos, haga morder de súbito
sus abiertas costuras, ilumine sus negros,

sus minios y sus calcios de un resplandor rasante,
capaz de hacer parir la más nueva hermosura?
Ah, pero mientras tanto,
un «No toquéis, peligro de muerte» acecha oculto
bajo tanta zurcida realidad desflecada.
Guardad, guardad la mano,
no avancéis ningún dedo los pulidos de uñas.
Ratas, no os atreváis por estos albañales.
Lívidos de la usura, pálidos de la nada,
atrás, atrás; ni un paso por aquí, ni el intento
de arriesgar una huella, ni el indicio de un ojo.
Corre un temblor eléctrico capaz de fulminaros
y una luz y una luz y una luz subterránea
que está amasando el rostro de tan tristes derribos.

Roma, 1965.

3

GENOVÉS 1970, PINTOR

Los amedrentados
los aborrecidos
los desposeídos
perseguidos
capturados
maniatados
los desconocidos
apaleados

No digo los nombres
todos tienen nombre
no digo los nombres

Los amordazados
los derribados
los barridos
sacudidos

desnudados
ultimados
escupidos
ajusticiados
los despavoridos
ametrallados

El color es gris
el color es negro
el color es gris

Angustia la luz
solloza la luz
quisiera ser otra
la luz

Los acuartelados
los acorazados
los encallecidos
los organizados
bandidos
roídos
vendidos
los uniformados
graznidos

Todo tiene un ritmo
un ritmo de muerte
un ritmo de vida
un ritmo de muerte
o de vida a muerte

Llueve el cielo muerte
Nunca llueve vida
Muerte
muerte
muerte

Los acaudalados
los encopetados
los enmascarados
ensoberbecidos

podridos
los encarnizados
aullidos

La mano no es mano
Tiene una pistola
por dedos la mano
Arriba las manos
El hombre está solo
Arriba las manos

Triste
triste
triste

En fila la sombra
es como un fusil
que corre con ellos
La fila se rompe
Sigue y falta uno
La fila se rompe
Sigue y faltan diez
La fila se rompe
Sigue y faltan miles

¡Ay!
¡Aaaayyy!
¡Eeeeeh!

Grito
grito
un grito
Se escucha
se alza
se expande
Es una marea
se expande
se extiende
se expande

¡Ay!
¡Aaaaaaayyyyyy!
¡Eeeeeeeeeh!

El sol rompe alto
enfermo amarillo
La tierra está roja
La sangre arde roja

Los amedrentados
los desposeídos
los asesinados
los resucitados
unidos
De pronto se vuelven
Ah cuando se vuelven
Ay cuando se vuelvan
Silencio
Silencio

4

ORTEGA DE SEGADORES

Los ves vencidos,
doblados,
raídos,
acurrucados,
partidos,
agrietados.

Trozos de signos hambrientos,
roedores,
espantados
harapientos,
orugas de los calores,
escobajos.

¿Qué le ha salido a la tierra?
Beben y comen la tierra.
Tierra que arrastra la tierra.

Tristes ojancos perdidos,
estrábicos renegridos,
zurrón de penas,
cadenas,
genuflexiones
por sembraduras ajenas,
zanjón de sangre, zanjones.

Por el haz de la paleta,
desolación amarilla,
hora que parece quieta,
pesadilla.

Pero marchan, pero siegan,
susurran, cantan, ortegan,
luz en blanco y negro dura,
dentadura
rota de pincel feroz,
sin olvidar que en la mano,
por el monte, por el llano,
blanden una hoz.

EL DESVELO

(Diario de la noche.)

1

Sigo siempre viviendo entre el clavel y la espada. Ayer estuve en Anticoli Corrado, en las alturas que dan al valle del Aniene. Aunque soplaba un frío glacial y la nieve de los últimos días estaba helada en las cumbres y en el filo de los caminos, la primavera, aún con las manos ateridas, esparcía ya su verde diluido sobre las ramas de los árboles. ¡Oh! Esto es lo que amo, lo que quisiera contemplar tranquilo, a mis casi setenta años. Dejadme hablar, por favor, escribir de ese pequeño río que va feliz, lleno de truchas y cangrejos, moviendo en sus cristales un finísimo paisaje de alamillos a punto de cantar iluminados de hojas. No me exijáis olvidar ese pequeño azul del cielo que se contrae dichoso bajo los ojos de ese puente. Decidme para siempre que no es un crimen llenarse los pulmones y la vida de aire y sentir el impulso de correr pendiente abajo por estas montañas, gritando fuerte al cabo de tantos años de forzados vaivenes: merezco un poco de sosegado sol, una brizna de yerba sin sangre, un sorbo de agua porque sí, no por la angustia de la sed, un posible cerrar los ojos sin desvelo... algo que haga posible el llevarme de aquí, allá al final, la idea de que todo no fue una maldición, un inexplicable castigo... Pero mis infinitas madrugadas sin sueño, mis largos sobresaltados amaneceres me trastornan, me cambian mis deseos de paz, de una siempre anhelada armonía del mundo... Y de pronto se entran en lo oscuro, sin quebrar las paredes, las voces frías, tajantes de la espada, y ese pobre clavel, que por breves horas tan sólo quise alzar en mi mano, lo oigo caer decapitado, deshecho, en la penumbra de mi cuarto que pronto va a imponerme la violencia del día a través del cristal de la ventana.

2

No puedo prescindir de ti, en lo oscuro,
rumor de fuente,
consuelo de mis días furiosos,
mis silencios desesperados.
Tiempo de hoy,
ayeres fugitivos.
Porque dormir, oír, cerrar los ojos,
es algo todavía.
Se ve. ¿Dónde estás tú?
¡Ah, si volvieras!
¿Dónde vosotros? ¡Ah, quién os tocara!

Verte, verte otra vez,
oírte desde las azoteas,
mojarme de tu azul ay antes de la sangre.
No verte muerta,
ni a ti tampoco muerto,
alegre que era yo,
rumor del agua.
¿Dormir? ¡Ah, no, presentes
ayeres fugitivos!

3

Oigo el mar. ¿Qué me dice ahora? Nada. Antes, sí. Yo sabía. Yo entendía su palabra. Su intención. Su gesto más pequeño. Estaba solo. Me hablaba. Lo mismo que su gente. Siempre me decía algo. ¿Qué dices? No te entiendo. Pero hablaba. Aunque no lo entendiera. Ahora... ¿Será posible? Aquí estoy... Frente al mismo. Tengo el cabello blanco. Y no duermo. ¿Él? Me hablaba...

4

Veo. Veo. Siempre vi. Pero no tan bien como ahora. Veo hacia afuera. Pero al metérseme dentro, ya es otra cosa la que vi, la que devuelvo afuera. Hace ya tiempo que me habitan visiones que no puedo expresar con la palabra. ¿Adónde iré? Es ya demasiado tarde para explicarme de otro modo. Oigo las horas, los minutos. ¿Lograría yo acaso en el tiempo que aún me falta por vivir alcanzar, para otra forma nueva de expresión, el mismo extremo que alcanzó mi voz en sus largos años de mi vida escrita?

5

Se van las noches
perdiendo la memoria de nosotros
que quisiéramos siempre ser los mismos
que cuando dormidos o totalmente muertos

pusimos el amor bajo el amparo de los bosques
exactamente porque al fin tendríamos
que despojarnos de todo
para morir desnudos.

6

Me ha tocado luchar con dos espadas,
en cada mano una,
pero contra mí mismo.
Empuñadas por mí se cruzan en la noche
y aun siendo tan difícil herirme por la espalda,
sus filos me penetran
y ya al amanecer soy sangre viva,
preso entre dos espadas que se duermen.

7

Muerta sobre la estera de mi cuarto
mientras vive en la playa por el cielo
muerto sobre la estera de mi cuarto.

En la flor del naranjo
la frente de la novia asesinada
en la flor del naranjo caída del florero
roto sobre la estera de mi cuarto.

Me rezas el rosario muerto en tu alcoba blanca
mientras das de comer al loro verde
huido por el techo de mi cuarto.

Yo durmiendo en mi cuarto
mientras muero mil veces en mi estancia del mar
vivo sobre la estera de mi cuarto.

CARTA A AITANA

Querida niña Aitana:
esta clara mañana
de otoño entre los pinos
y oscuros cedros de la Farnesina,
pienso en la Torre Azul de los Molinos
y en el pequeño mar dulce de tu piscina.
¿Eres feliz? Con poco y mucho, Aitana.
Lo eres
porque ya tienes todo lo que quieres,
aunque yo bien quisiera
que siempre a todas horas mi ventana
en libertad a tu jardín se abriera.
Pero, tú bien lo sabes, todavía,
después de tantos años, tristemente
se sigue abriendo involuntariamente
en tantos sitios donde no querría.
    Te escucho por teléfono. Y me suena
    en tu voz la del mar. Punta del Este.
    Al castillo de sol, conchas y arena,
    la arremetida del mastín celeste
    de la espuma lo arrasa.
                                        Playas más que dichosas.
Buenos Aires. El patio de una casa
con glicinas y rosas
y estrellas federales.
        El Lange-Ley, Aitana. Por Las Heras
        y Canning, en hileras,
        los verdes uniformes colegiales.
Cuántas Aitanas veo en desasidas
imágenes graciosas y ligeras,
sin contar las perdidas
o algunas que no quiero
me borren las Aitanas que prefiero.
        Primavera en Cheng-tú.
        La Montaña de Buda. Y el Primero
        de Mayo, bajo un cielo de bambú,
        cimbrearse en Pekín un pueblo entero.

Vamos.
Por las barrancas del Paraná, dormidos
te esperan los caballos y las ranas
y los loros gritando a toda hora
y los desprevenidos
mudos pasos al sol de las iguanas
y la Katy tranquila y Muki ladradora.
Nuevamente regreso
al paisaje romano,
por suerte mía ileso,
después de tanto andar en aeroplano.
Via dei Riari. Aitana, qué sorpresa
te reserva el otoño a tu llegada.
Mi estudio, mi taller
dejó de ser promesa
para ser
una jaula encantada.
Los árboles son míos.
Los del Orto Botánico que abraza
de verdor y silencio la terraza,
el concierto de píos y de píos
de los pájaros, mías
también las plantas casi ya murientes
del balcón de la casa en que vivías.
Y aquí termino, Aitana.
Sé que llegas mañana.
Te esperamos
los dos con todo el coro
de Babucha, el canario, el Buco, el loro
y, tal vez ya en el aire, te besamos.

DESPRECIO Y MARAVILLA
(1967-1971)

Canción para Máximo Gorki

Yo bajaba por el Volga
soñando:
¡Cuánta agua dulce estas ondas
ayer de un sabor amargo!
Veía estelas de sangre,
oía
tristes y doblados cantos.
¡Qué amarga el agua y el viento
qué amargo!
Iba a la amarga ciudad
del corazón más amargo.
A la madrugada, el río
sacó una mano
y me subió un corazón
en esa mano.
Y al agua grande del río
se le fue el sabor amargo.
Remaban las gaviotas,
sesgando el aire, cortándolo.
Trajinaba el agua, iba
sin sangre el agua pasando.

Cantaba el viento y cantaba
dulce sin sabor amargo.
La vida ya no tenía
sabor amargo.
Todo era luz, todo paz,
cielo alto,
corazón abierto, alto.
Todo lo amargo de ayer,
cántico y luz, paz y cántico.

Por el Volga, junio, 1968

ÍNDICE

Páginas

Páginas

A LA PINTURA
(Poema del color y la línea)
(1945-1952)

Páginas

SIGNOS DEL DÍA
(1945-1955)

POEMAS DIVERSOS
(1945-1959)

POEMAS DE PUNTA DEL ESTE
(1945-1956)

RETORNOS DE LO VIVO LEJANO
(1948-1956)

COPLAS DE JUAN PANADERO
(1949-1953)

Páginas

ORA MARITIMA
(1953)

BALADAS Y CANCIONES DEL PARANÁ
(1953-1954)

Páginas

LA PRIMAVERA DE LOS PUEBLOS
(1955-1957)

ABIERTO A TODAS HORAS
(1960-1963)

CANCIONES DEL ALTO VALLE DEL ANIENE
(1967-1972)

Páginas

DESPRECIO Y MARAVILLA
(1967-1971)

0 2960 0045970 5